힘이 붙는 수학

연산

초등 **4B**

단계별 학습 내용

1 초1 수준

A	
1단계	9까지의 수
2단계	9까지의 수를 모으기, 가르기
3단계	덧셈과 뺄셈
4단계	50까지의 수

B	
1단계	100까지의 수
2단계	덧셈과 뺄셈(1)
3단계	덧셈과 뺄셈(2)
4단계	덧셈과 뺄셈(3)

2 초2 수준

A	
1단계	세 자리 수
2단계	덧셈과 뺄셈
3단계	덧셈과 뺄셈의 관계
4단계	세 수의 덧셈과 뺄셈
5단계	곱셈

B	
1단계	네 자리 수
2단계	곱셈구구
3단계	길이의 계산
4단계	시각과 시간

3 초3 수준

A	
1단계	덧셈과 뺄셈
2단계	나눗셈
3단계	곱셈
4단계	길이와 시간
5단계	분수와 소수

B	
1단계	곱셈
2단계	나눗셈
3단계	분수
4단계	들이
5단계	무게

🐙 전체 학습 설계도를 보고 초등 수학의 과정을 알 수 있습니다.

A	B
🎯1단계 큰 수	🎯1단계 분수의 덧셈
🎯2단계 각도	🎯2단계 분수의 뺄셈
🎯3단계 곱셈	🎯3단계 소수
🎯4단계 나눗셈	🎯4단계 소수의 덧셈
	🎯5단계 소수의 뺄셈

4 초4 수준

A	B
🎯1단계 자연수의 혼합 계산	🎯1단계 수의 범위
🎯2단계 약수와 배수	🎯2단계 어림하기
🎯3단계 약분과 통분	🎯3단계 분수의 곱셈
🎯4단계 분수의 덧셈과 뺄셈	🎯4단계 소수의 곱셈
🎯5단계 다각형의 둘레와 넓이	🎯5단계 평균

5 초5 수준

A	B
🎯1단계 분수의 나눗셈	🎯1단계 분수의 나눗셈
🎯2단계 소수의 나눗셈	🎯2단계 소수의 나눗셈
🎯3단계 비와 비율	🎯3단계 비례식
🎯4단계 직육면체의 부피와 겉넓이	🎯4단계 비례배분
	🎯5단계 원의 넓이

6 초6 수준

이렇게 공부해 봐

1 개념 정리

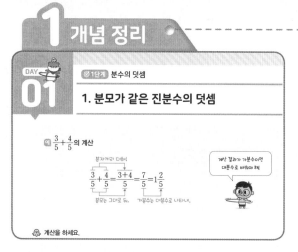

개념 정리 내용을 확인하며 계산 원리를 충분히 이해해요.

2 연산 학습

다양한 유형의 연산 문제를 통해 연산력을 강화해요. 매일 연산 학습을 반복하면 더 효과적으로 학습할 수 있어요.

3 생활 속 연산

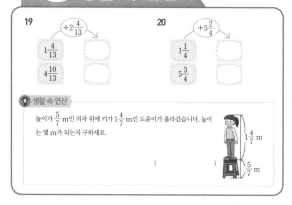

다양한 실생활 속 상황에서 연산력을 키워 문제를 해결해요.

4 마무리 연산

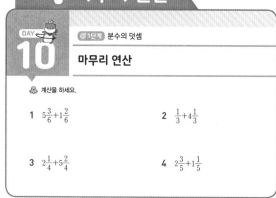

연산 학습을 잘했는지 문제를 풀어 보며 확인해요.

Contents 차례

1

분수의 덧셈

계산 실수를 하지 않게
집중해서 풀어 보자!

학습 결과와
시간을 써 보세요!

학습 내용	학습 회차	맞힌 개수/걸린 시간
1. 분모가 같은 진분수의 덧셈	DAY 01	/
	DAY 02	/
	DAY 03	/
	DAY 04	/
2. 분모가 같은 대분수의 덧셈	DAY 05	/
	DAY 06	/
	DAY 07	/
	DAY 08	/
마무리 연산	DAY 09	/
	DAY 10	/

🎯 **1단계** 분수의 덧셈

1. 분모가 같은 진분수의 덧셈

예 $\dfrac{3}{5}+\dfrac{4}{5}$의 계산

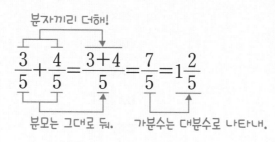

분자끼리 더해!

$$\dfrac{3}{5}+\dfrac{4}{5}=\dfrac{3+4}{5}=\dfrac{7}{5}=1\dfrac{2}{5}$$

분모는 그대로 둬.   가분수는 대분수로 나타내.

계산 결과가 가분수이면 대분수로 바꿔야 해!

🐙 계산을 하세요.

1 $\dfrac{1}{4}+\dfrac{2}{4}=\dfrac{\boxed{1}+\boxed{2}}{4}=\dfrac{\boxed{3}}{4}$

2 $\dfrac{2}{5}+\dfrac{2}{5}=\dfrac{\boxed{\ }+\boxed{\ }}{5}=\dfrac{\boxed{\ }}{5}$

3 $\dfrac{4}{6}+\dfrac{1}{6}=\dfrac{\boxed{\ }+\boxed{\ }}{6}=\dfrac{\boxed{\ }}{6}$

4 $\dfrac{3}{8}+\dfrac{4}{8}=\dfrac{\boxed{\ }+\boxed{\ }}{8}=\dfrac{\boxed{\ }}{8}$

5 $\dfrac{5}{9}+\dfrac{2}{9}=\dfrac{\boxed{\ }+\boxed{\ }}{9}=\dfrac{\boxed{\ }}{9}$

6 $\dfrac{3}{10}+\dfrac{6}{10}=\dfrac{\boxed{\ }+\boxed{\ }}{10}=\dfrac{\boxed{\ }}{10}$

7 $\dfrac{4}{11}+\dfrac{5}{11}=\dfrac{\boxed{\ }+\boxed{\ }}{11}=\dfrac{\boxed{\ }}{11}$

8 $\dfrac{6}{13}+\dfrac{2}{13}=\dfrac{\boxed{\ }+\boxed{\ }}{13}=\dfrac{\boxed{\ }}{13}$

🐙 계산을 하세요.

9
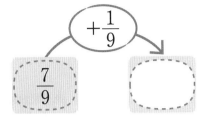

10
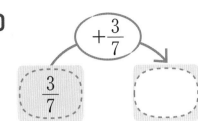

11
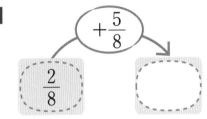

12
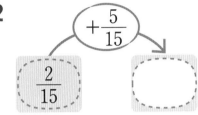

13
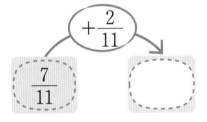

14
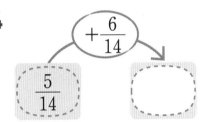

15
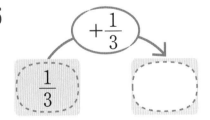

16
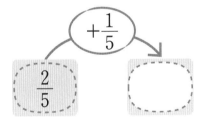

17
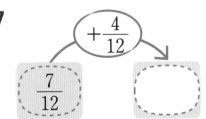

18

🎯 1단계 분수의 덧셈

1. 분모가 같은 진분수의 덧셈

🐙 계산을 하세요.

1 $\dfrac{1}{3}+\dfrac{2}{3}$

2 $\dfrac{4}{5}+\dfrac{2}{5}$

계산 결과가
가분수이면
대분수로 나타내자!

3 $\dfrac{6}{7}+\dfrac{3}{7}$

4 $\dfrac{4}{8}+\dfrac{7}{8}$

5 $\dfrac{3}{10}+\dfrac{8}{10}$

6 $\dfrac{9}{11}+\dfrac{9}{11}$

7 $\dfrac{7}{12}+\dfrac{10}{12}$

8 $\dfrac{8}{13}+\dfrac{7}{13}$

9 $\dfrac{6}{14}+\dfrac{13}{14}$

10 $\dfrac{11}{15}+\dfrac{8}{15}$

11 $\dfrac{3}{16}+\dfrac{14}{16}$

12 $\dfrac{14}{18}+\dfrac{9}{18}$

13 $\dfrac{15}{19}+\dfrac{8}{19}$

14 $\dfrac{6}{20}+\dfrac{17}{20}$

두 분수의 합을 구하세요.

15

16

17

18

19

20

21

22

23

24

🎯 1단계 분수의 덧셈

1. 분모가 같은 진분수의 덧셈

🐙 계산을 하세요.

1 $\frac{3}{4}+\frac{1}{4}$

2 $\frac{2}{6}+\frac{3}{6}$

3 $\frac{5}{13}+\frac{4}{13}$

4 $\frac{7}{20}+\frac{6}{20}$

5 $\frac{8}{14}+\frac{5}{14}$

6 $\frac{2}{8}+\frac{5}{8}$

7 $\frac{11}{12}+\frac{6}{12}$

8 $\frac{3}{11}+\frac{6}{11}$

9 $\frac{5}{15}+\frac{14}{15}$

10 $\frac{5}{6}+\frac{1}{6}$

11 $\frac{9}{10}+\frac{8}{10}$

12 $\frac{2}{7}+\frac{6}{7}$

13 $\frac{8}{13}+\frac{9}{13}$

14 $\frac{13}{16}+\frac{8}{16}$

🐙 노란색 물감과 파란색 물감을 섞어 초록색 물감을 만들려고 합니다. 만들어지는 초록색 물감은 모두 몇 mL인지 구하세요.

15 $\dfrac{7}{8}$ mL $\dfrac{6}{8}$ mL

(   )

16 $\dfrac{5}{9}$ mL $\dfrac{8}{9}$ mL

(   )

17 $\dfrac{7}{11}$ mL $\dfrac{10}{11}$ mL

(   )

18 $\dfrac{3}{4}$ mL $\dfrac{2}{4}$ mL

(   )

19 $\dfrac{3}{5}$ mL $\dfrac{2}{5}$ mL

(   )

20 $\dfrac{5}{12}$ mL $\dfrac{8}{12}$ mL

(   )

21 $\dfrac{8}{15}$ mL $\dfrac{3}{15}$ mL

(   )

22 $\dfrac{9}{17}$ mL $\dfrac{3}{17}$ mL

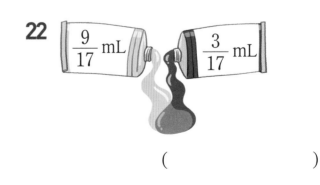

(   )

1. 분모가 같은 진분수의 덧셈

🐙 계산을 하세요.

1 $\dfrac{1}{5} + \dfrac{4}{5}$

2 $\dfrac{9}{14} + \dfrac{4}{14}$

3 $\dfrac{9}{13} + \dfrac{1}{13}$

4 $\dfrac{4}{9} + \dfrac{1}{9}$

5 $\dfrac{6}{8} + \dfrac{7}{8}$

6 $\dfrac{9}{10} + \dfrac{4}{10}$

7 $\dfrac{7}{11} + \dfrac{3}{11}$

8 $\dfrac{6}{12} + \dfrac{11}{12}$

9 $\dfrac{3}{7} + \dfrac{5}{7}$

10 $\dfrac{3}{6} + \dfrac{4}{6}$

11 $\dfrac{4}{8} + \dfrac{7}{8}$

12 $\dfrac{7}{16} + \dfrac{12}{16}$

13 $\dfrac{10}{19} + \dfrac{14}{19}$

14 $\dfrac{13}{15} + \dfrac{9}{15}$

계산을 하세요.

15 $\dfrac{4}{5}+\dfrac{3}{5}$ ◯

16 $\dfrac{5}{13}+\dfrac{9}{13}$ ◯

17 $\dfrac{5}{9}+\dfrac{2}{9}$ ◯

18 $\dfrac{8}{11}+\dfrac{4}{11}$ ◯

19 $\dfrac{4}{16}+\dfrac{9}{16}$ ◯

20 $\dfrac{6}{10}+\dfrac{7}{10}$ ◯

21 $\dfrac{17}{18}+\dfrac{12}{18}$ ◯

22 $\dfrac{1}{7}+\dfrac{5}{7}$ ◯

23 $\dfrac{8}{12}+\dfrac{11}{12}$ ◯

24 $\dfrac{5}{8}+\dfrac{6}{8}$ ◯

 생활 속 연산

선물 상자 2개를 포장하는 데 사용한 리본의 길이는 각각 $\dfrac{8}{9}$ m와 $\dfrac{5}{9}$ m입니다. 사용한 리본은 모두 몇 m인지 구하세요.

(　　　　　)

◎1단계 분수의 덧셈

2. 분모가 같은 대분수의 덧셈

예 $1\dfrac{2}{7}+2\dfrac{6}{7}$ 의 계산

자연수는 자연수끼리!

$$1\dfrac{2}{7}+2\dfrac{6}{7}=(1+2)+\left(\dfrac{2}{7}+\dfrac{6}{7}\right)=3+\dfrac{8}{7}=3+1\dfrac{1}{7}=4\dfrac{1}{7}$$

분수는 분수끼리!

진분수 부분끼리 더한
결과가 가분수이면 대분수로
나타내야 해!

🐙 계산을 하세요.

1 $\quad 2\dfrac{3}{5}+1\dfrac{1}{5}=(2+\boxed{1})+\left(\dfrac{3}{5}+\dfrac{\boxed{1}}{5}\right)=\boxed{3}+\dfrac{\boxed{4}}{5}=\boxed{3}\dfrac{\boxed{4}}{5}$

2 $\quad 4\dfrac{3}{8}+3\dfrac{4}{8}=(4+\boxed{})+\left(\dfrac{3}{8}+\dfrac{\boxed{}}{8}\right)=\boxed{}+\dfrac{\boxed{}}{8}=\boxed{}\dfrac{\boxed{}}{8}$

3 $\quad 1\dfrac{6}{9}+3\dfrac{2}{9}=(1+\boxed{})+\left(\dfrac{6}{9}+\dfrac{\boxed{}}{9}\right)=\boxed{}+\dfrac{\boxed{}}{9}=\boxed{}\dfrac{\boxed{}}{9}$

4 $\quad 1\dfrac{5}{7}+3\dfrac{6}{7}=(1+\boxed{})+\left(\dfrac{5}{7}+\dfrac{\boxed{}}{7}\right)=\boxed{}+\dfrac{\boxed{}}{7}=\boxed{}+\boxed{}\dfrac{\boxed{}}{7}=\boxed{}\dfrac{\boxed{}}{7}$

계산을 하세요.

5

$\dfrac{1}{6}$ → $+7\dfrac{4}{6}$ → ☐

6

$5\dfrac{3}{14}$ → $+\dfrac{6}{14}$ → ☐

7

$1\dfrac{4}{8}$ → $+2\dfrac{1}{8}$ → ☐

8

$4\dfrac{2}{5}$ → $+5\dfrac{2}{5}$ → ☐

9

$2\dfrac{5}{11}$ → $+1\dfrac{8}{11}$ → ☐

10

$3\dfrac{6}{7}$ → $+4\dfrac{3}{7}$ → ☐

11

$2\dfrac{12}{13}$ → $+3\dfrac{6}{13}$ → ☐

12

$1\dfrac{4}{10}$ → $+3\dfrac{9}{10}$ → ☐

13

$3\dfrac{8}{9}$ → $+3\dfrac{2}{9}$ → ☐

14

$2\dfrac{13}{17}$ → $+5\dfrac{6}{17}$ → ☐

2. 분모가 같은 대분수의 덧셈

예 $1\dfrac{2}{7}+2\dfrac{6}{7}$ 의 계산

대분수를 가분수로 바꾸어 계산해!

$$1\dfrac{2}{7}+2\dfrac{6}{7}=\dfrac{9}{7}+\dfrac{20}{7}=\dfrac{29}{7}=4\dfrac{1}{7}$$

계산 결과가 가분수이면
대분수로 나타내야 해!

🐙 계산을 하세요.

1 $2\dfrac{2}{3}+1\dfrac{2}{3}=\dfrac{8}{3}+\dfrac{\boxed{5}}{3}=\dfrac{\boxed{13}}{3}=\boxed{4}\dfrac{\boxed{1}}{3}$

2 $4\dfrac{5}{7}+2\dfrac{4}{7}=\dfrac{33}{7}+\dfrac{\boxed{}}{7}=\dfrac{\boxed{}}{7}=\boxed{}\dfrac{\boxed{}}{7}$

3 $3\dfrac{9}{10}+2\dfrac{7}{10}=\dfrac{39}{10}+\dfrac{\boxed{}}{10}=\dfrac{\boxed{}}{10}=\boxed{}\dfrac{\boxed{}}{10}$

4 $1\dfrac{9}{13}+2\dfrac{5}{13}=\dfrac{22}{13}+\dfrac{\boxed{}}{13}=\dfrac{\boxed{}}{13}=\boxed{}\dfrac{\boxed{}}{13}$

5 $3\dfrac{9}{20}+2\dfrac{14}{20}=\dfrac{69}{20}+\dfrac{\boxed{}}{20}=\dfrac{\boxed{}}{20}=\boxed{}\dfrac{\boxed{}}{20}$

🐙 계산을 하세요.

6 $\dfrac{5}{6}$ $+3\dfrac{2}{6}$

7 $6\dfrac{5}{11}$ $+\dfrac{9}{11}$

8 $1\dfrac{12}{13}$ $+2\dfrac{9}{13}$

9 $7\dfrac{1}{4}$ $+4\dfrac{3}{4}$

10 $3\dfrac{7}{9}$ $+2\dfrac{6}{9}$

11 $4\dfrac{4}{7}$ $+1\dfrac{5}{7}$

12 $6\dfrac{4}{12}$ $+1\dfrac{8}{12}$

13 $4\dfrac{2}{5}$ $+1\dfrac{4}{5}$

14 $1\dfrac{8}{15}$ $+3\dfrac{11}{15}$

15 $2\dfrac{3}{7}$ $+2\dfrac{6}{7}$

16 $4\dfrac{15}{21}$ $+2\dfrac{16}{21}$

17 $3\dfrac{8}{10}$ $+5\dfrac{9}{10}$

2. 분모가 같은 대분수의 덧셈

🐙 계산을 하세요.

1 $1\dfrac{1}{4}+3\dfrac{2}{4}$

2 $2\dfrac{1}{3}+1\dfrac{1}{3}$

3 $2\dfrac{5}{8}+3\dfrac{2}{8}$

4 $1\dfrac{5}{15}+3\dfrac{14}{15}$

5 $1\dfrac{3}{8}+3\dfrac{4}{8}$

6 $1\dfrac{6}{12}+4\dfrac{1}{12}$

7 $4\dfrac{10}{13}+1\dfrac{2}{13}$

8 $2\dfrac{7}{10}+2\dfrac{4}{10}$

9 $2\dfrac{4}{9}+1\dfrac{4}{9}$

10 $3\dfrac{8}{11}+3\dfrac{2}{11}$

11 $1\dfrac{7}{14}+1\dfrac{12}{14}$

12 $2\dfrac{6}{7}+4\dfrac{5}{7}$

13 $2\dfrac{9}{16}+1\dfrac{10}{16}$

14 $2\dfrac{9}{19}+1\dfrac{15}{19}$

🐙 어느 과수원의 과일별 생산량을 나타낸 그래프입니다. 과일별 생산량의 합은 몇 t인지 구하세요.

↳ 1 t＝1000 kg이고
1 t은 1톤이라고 읽어.

과일별 생산량

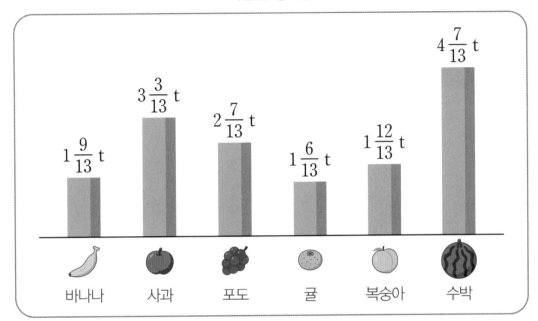

15 🍎+🍇= ☐ (t)

↳ $3\frac{3}{13}+2\frac{7}{13}$

16 🍌+🍉= ☐ (t)

17 🍊+🍑= ☐ (t)

18 🍇+🍉= ☐ (t)

19 🍎+🍑= ☐ (t)

20 🍊+🍌= ☐ (t)

21 🍑+🍉= ☐ (t)

22 🍌+🍇= ☐ (t)

2. 분모가 같은 대분수의 덧셈

🐙 계산을 하세요.

1 $1\dfrac{1}{2}+2\dfrac{1}{2}$

2 $2\dfrac{1}{3}+2\dfrac{2}{3}$

3 $4\dfrac{3}{4}+1\dfrac{2}{4}$

4 $2\dfrac{4}{5}+2\dfrac{3}{5}$

5 $3\dfrac{4}{7}+2\dfrac{1}{7}$

6 $1\dfrac{7}{9}+1\dfrac{6}{9}$

7 $3\dfrac{5}{8}+1\dfrac{6}{8}$

8 $3\dfrac{8}{11}+3\dfrac{2}{11}$

9 $3\dfrac{5}{11}+4\dfrac{9}{11}$

10 $5\dfrac{3}{10}+2\dfrac{4}{10}$

11 $5\dfrac{2}{13}+4\dfrac{7}{13}$

12 $3\dfrac{10}{15}+4\dfrac{13}{15}$

13 $2\dfrac{15}{19}+3\dfrac{5}{19}$

14 $3\dfrac{17}{23}+1\dfrac{6}{23}$

🐙 계산을 하세요.

15

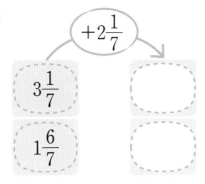

$+2\frac{1}{7}$

$3\frac{1}{7}$

$1\frac{6}{7}$

16

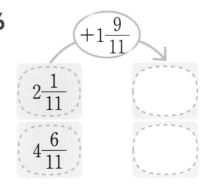

$+1\frac{9}{11}$

$2\frac{1}{11}$

$4\frac{6}{11}$

17

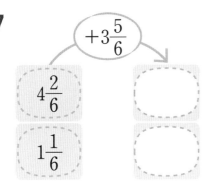

$+3\frac{5}{6}$

$4\frac{2}{6}$

$1\frac{1}{6}$

18

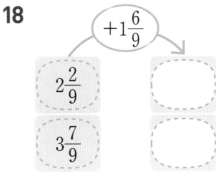

$+1\frac{6}{9}$

$2\frac{2}{9}$

$3\frac{7}{9}$

19

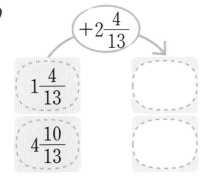

$+2\frac{4}{13}$

$1\frac{4}{13}$

$4\frac{10}{13}$

20

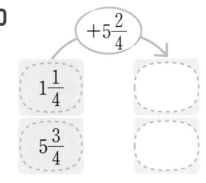

$+5\frac{2}{4}$

$1\frac{1}{4}$

$5\frac{3}{4}$

💡 **생활 속 연산**

높이가 $\frac{5}{7}$ m인 의자 위에 키가 $1\frac{4}{7}$ m인 도윤이가 올라갔습니다. 높이는 몇 m가 되는지 구하세요.

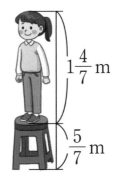

$1\frac{4}{7}$ m

$\frac{5}{7}$ m

(   )

마무리 연산

🐙 계산을 하세요.

1 $\dfrac{3}{7}+\dfrac{2}{7}$

2 $\dfrac{1}{8}+\dfrac{4}{8}$

3 $\dfrac{1}{5}+\dfrac{3}{5}$

4 $\dfrac{5}{9}+\dfrac{3}{9}$

5 $\dfrac{3}{6}+\dfrac{2}{6}$

6 $\dfrac{3}{7}+\dfrac{3}{7}$

7 $\dfrac{5}{12}+\dfrac{2}{12}$

8 $\dfrac{6}{11}+\dfrac{3}{11}$

9 $\dfrac{8}{15}+\dfrac{5}{15}$

10 $\dfrac{2}{10}+\dfrac{7}{10}$

11 $\dfrac{7}{13}+\dfrac{4}{13}$

12 $\dfrac{3}{12}+\dfrac{2}{12}$

13 $\dfrac{4}{11}+\dfrac{2}{11}$

14 $\dfrac{3}{20}+\dfrac{8}{20}$

🐙 계산을 하세요.

15 $\dfrac{7}{9}+\dfrac{4}{9}$

16 $\dfrac{3}{5}+\dfrac{4}{5}$

17 $\dfrac{4}{5}+\dfrac{4}{5}$

18 $\dfrac{2}{4}+\dfrac{3}{4}$

19 $\dfrac{2}{3}+\dfrac{2}{3}$

20 $\dfrac{5}{7}+\dfrac{6}{7}$

21 $\dfrac{8}{12}+\dfrac{9}{12}$

22 $\dfrac{7}{10}+\dfrac{3}{10}$

23 $\dfrac{7}{13}+\dfrac{9}{13}$

24 $\dfrac{5}{11}+\dfrac{8}{11}$

25 $\dfrac{7}{14}+\dfrac{8}{14}$

26 $\dfrac{13}{15}+\dfrac{9}{15}$

27 $\dfrac{16}{20}+\dfrac{13}{20}$

28 $\dfrac{16}{25}+\dfrac{18}{25}$

마무리 연산

🐙 계산을 하세요.

1 $5\dfrac{3}{6}+1\dfrac{2}{6}$

2 $\dfrac{1}{3}+4\dfrac{1}{3}$

3 $2\dfrac{1}{4}+5\dfrac{2}{4}$

4 $2\dfrac{3}{5}+1\dfrac{1}{5}$

5 $3\dfrac{4}{8}+6\dfrac{1}{8}$

6 $4\dfrac{1}{7}+2\dfrac{1}{7}$

7 $2\dfrac{3}{15}+1\dfrac{4}{15}$

8 $2\dfrac{4}{13}+2\dfrac{6}{13}$

9 $\dfrac{11}{16}+3\dfrac{4}{16}$

10 $2\dfrac{3}{10}+4\dfrac{4}{10}$

11 $1\dfrac{5}{14}+5\dfrac{6}{14}$

12 $5\dfrac{7}{18}+2\dfrac{4}{18}$

13 $3\dfrac{9}{17}+2\dfrac{3}{17}$

14 $1\dfrac{4}{20}+\dfrac{13}{20}$

🐙 계산을 하세요.

15 $2\frac{2}{7}+1\frac{6}{7}$

16 $2\frac{2}{3}+2\frac{2}{3}$

17 $1\frac{2}{6}+3\frac{5}{6}$

18 $3\frac{5}{8}+2\frac{3}{8}$

19 $3\frac{2}{4}+2\frac{3}{4}$

20 $1\frac{5}{9}+2\frac{8}{9}$

21 $1\frac{8}{12}+2\frac{9}{12}$

22 $4\frac{7}{11}+1\frac{9}{11}$

23 $1\frac{2}{13}+3\frac{12}{13}$

24 $2\frac{13}{14}+5\frac{10}{14}$

25 $2\frac{7}{16}+3\frac{14}{16}$

26 $2\frac{16}{17}+1\frac{3}{17}$

27 $4\frac{15}{19}+2\frac{7}{19}$

28 $4\frac{4}{20}+2\frac{17}{20}$

2
분수의 뺄셈

학습 결과와 시간을 써 보세요!

학습 내용	학습 회차	맞힌 개수/걸린 시간
1. 분모가 같은 진분수의 뺄셈	DAY 01	/
	DAY 02	/
	DAY 03	/
	DAY 04	/
2. 분모가 같은 대분수의 뺄셈(1)	DAY 05	/
	DAY 06	/
	DAY 07	/
	DAY 08	/
3. (자연수)−(분수)	DAY 09	/
	DAY 10	/
	DAY 11	/
	DAY 12	/
4. 분모가 같은 대분수의 뺄셈(2)	DAY 13	/
	DAY 14	/
	DAY 15	/
	DAY 16	/
마무리 연산	DAY 17	/
	DAY 18	/

 **2단계** 분수의 뺄셈

1. 분모가 같은 진분수의 뺄셈

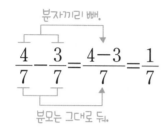

예 $\frac{4}{7} - \frac{3}{7}$ 의 계산

분자끼리 빼.

$$\frac{4}{7} - \frac{3}{7} = \frac{4-3}{7} = \frac{1}{7}$$

분모는 그대로 둬.

분모는 그대로 두고,
분자끼리 빼면 돼!

계산을 하세요.

1 $\frac{2}{3} - \frac{1}{3} = \frac{\boxed{2} - \boxed{1}}{3} = \frac{\boxed{1}}{3}$

2 $\frac{4}{5} - \frac{2}{5} = \frac{\boxed{} - \boxed{}}{5} = \frac{\boxed{}}{5}$

3 $\frac{5}{6} - \frac{4}{6} = \frac{\boxed{} - \boxed{}}{6} = \frac{\boxed{}}{6}$

4 $\frac{4}{7} - \frac{1}{7} = \frac{\boxed{} - \boxed{}}{7} = \frac{\boxed{}}{7}$

5 $\frac{7}{9} - \frac{2}{9} = \frac{\boxed{} - \boxed{}}{9} = \frac{\boxed{}}{9}$

6 $\frac{7}{10} - \frac{4}{10} = \frac{\boxed{} - \boxed{}}{10} = \frac{\boxed{}}{10}$

7 $\frac{5}{11} - \frac{1}{11} = \frac{\boxed{} - \boxed{}}{11} = \frac{\boxed{}}{11}$

8 $\frac{9}{13} - \frac{6}{13} = \frac{\boxed{} - \boxed{}}{13} = \frac{\boxed{}}{13}$

🐙 계산을 하세요.

9
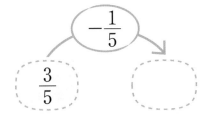

$-\dfrac{1}{5}$

$\dfrac{3}{5}$

10
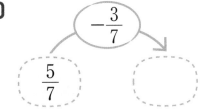

$-\dfrac{3}{7}$

$\dfrac{5}{7}$

11
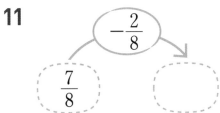

$-\dfrac{2}{8}$

$\dfrac{7}{8}$

12
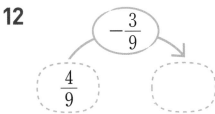

$-\dfrac{3}{9}$

$\dfrac{4}{9}$

13
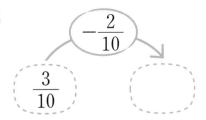

$-\dfrac{2}{10}$

$\dfrac{3}{10}$

14
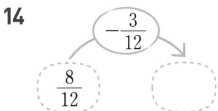

$-\dfrac{3}{12}$

$\dfrac{8}{12}$

15
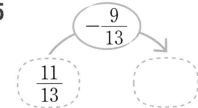

$-\dfrac{9}{13}$

$\dfrac{11}{13}$

16
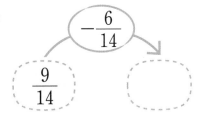

$-\dfrac{6}{14}$

$\dfrac{9}{14}$

17
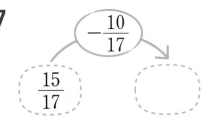

$-\dfrac{10}{17}$

$\dfrac{15}{17}$

18
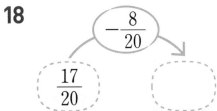

$-\dfrac{8}{20}$

$\dfrac{17}{20}$

2단계 분수의 뺄셈

1. 분모가 같은 진분수의 뺄셈

🐙 계산을 하세요.

1   $\dfrac{3}{5} - \dfrac{2}{5}$

2   $\dfrac{5}{7} - \dfrac{4}{7}$

3   $\dfrac{5}{8} - \dfrac{2}{8}$

4   $\dfrac{8}{9} - \dfrac{3}{9}$

5   $\dfrac{9}{10} - \dfrac{2}{10}$

6   $\dfrac{7}{11} - \dfrac{1}{11}$

7   $\dfrac{10}{13} - \dfrac{2}{13}$

8   $\dfrac{9}{15} - \dfrac{5}{15}$

9   $\dfrac{13}{16} - \dfrac{6}{16}$

10   $\dfrac{15}{17} - \dfrac{13}{17}$

11   $\dfrac{15}{18} - \dfrac{8}{18}$

12   $\dfrac{16}{19} - \dfrac{5}{19}$

13   $\dfrac{17}{21} - \dfrac{9}{21}$

14   $\dfrac{17}{23} - \dfrac{12}{23}$

🐙 두 분수의 차를 구하세요.

15

16

17

18

19

20

21

22

23

24

DAY **03**

1. 분모가 같은 진분수의 뺄셈

🐙 계산을 하세요.

1 $\dfrac{5}{6} - \dfrac{4}{6}$

2 $\dfrac{4}{9} - \dfrac{2}{9}$

3 $\dfrac{5}{10} - \dfrac{2}{10}$

4 $\dfrac{8}{11} - \dfrac{4}{11}$

5 $\dfrac{8}{12} - \dfrac{3}{12}$

6 $\dfrac{12}{14} - \dfrac{3}{14}$

7 $\dfrac{13}{15} - \dfrac{9}{15}$

8 $\dfrac{9}{16} - \dfrac{4}{16}$

9 $\dfrac{16}{17} - \dfrac{5}{17}$

10 $\dfrac{15}{18} - \dfrac{4}{18}$

11 $\dfrac{19}{20} - \dfrac{12}{20}$

12 $\dfrac{20}{21} - \dfrac{15}{21}$

13 $\dfrac{17}{23} - \dfrac{9}{23}$

14 $\dfrac{21}{24} - \dfrac{14}{24}$

🐙 두 털실 길이의 차를 구하세요.

15

(   )

16

(   )

17

(   )

18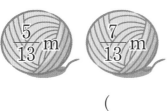

(   )

19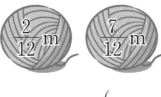

(   )

20

(   )

21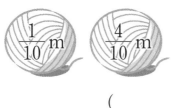

(   )

22

(   )

23

(   )

24

(   )

1. 분모가 같은 진분수의 뺄셈

🐙 계산을 하세요.

1 $\dfrac{3}{4} - \dfrac{2}{4}$

2 $\dfrac{6}{8} - \dfrac{3}{8}$

3 $\dfrac{8}{9} - \dfrac{4}{9}$

4 $\dfrac{7}{11} - \dfrac{4}{11}$

5 $\dfrac{8}{14} - \dfrac{3}{14}$

6 $\dfrac{14}{15} - \dfrac{6}{15}$

7 $\dfrac{13}{17} - \dfrac{1}{17}$

8 $\dfrac{15}{19} - \dfrac{6}{19}$

9 $\dfrac{16}{20} - \dfrac{9}{20}$

10 $\dfrac{13}{24} - \dfrac{8}{24}$

11 $\dfrac{18}{25} - \dfrac{7}{25}$

12 $\dfrac{23}{27} - \dfrac{7}{27}$

13 $\dfrac{29}{30} - \dfrac{16}{30}$

14 $\dfrac{26}{35} - \dfrac{4}{35}$

🐙 계산을 하세요.

15 $\dfrac{8}{9} - \dfrac{6}{9}$ ◯

16 $\dfrac{6}{11} - \dfrac{1}{11}$ ◯

17 $\dfrac{10}{12} - \dfrac{3}{12}$ ◯

18 $\dfrac{13}{15} - \dfrac{9}{15}$ ◯

19 $\dfrac{11}{17} - \dfrac{5}{17}$ ◯

20 $\dfrac{14}{20} - \dfrac{11}{20}$ ◯

21 $\dfrac{17}{21} - \dfrac{4}{21}$ ◯

22 $\dfrac{19}{25} - \dfrac{17}{25}$ ◯

23 $\dfrac{23}{26} - \dfrac{14}{26}$ ◯

24 $\dfrac{17}{27} - \dfrac{4}{27}$ ◯

25 $\dfrac{19}{30} - \dfrac{12}{30}$ ◯

26 $\dfrac{23}{32} - \dfrac{12}{32}$ ◯

2단계 분수의 뺄셈

2. 분모가 같은 대분수의 뺄셈(1)

예 $3\dfrac{3}{5}-1\dfrac{1}{5}$ 의 계산

자연수는 자연수끼리!

$$3\dfrac{3}{5}-1\dfrac{1}{5}=(3-1)+\left(\dfrac{3}{5}-\dfrac{1}{5}\right)=2+\dfrac{2}{5}=2\dfrac{2}{5}$$

분수는 분수끼리!

계산을 하세요.

1 $2\dfrac{4}{7}-1\dfrac{2}{7}=(2-\boxed{1})+\left(\dfrac{4}{7}-\dfrac{\boxed{2}}{7}\right)=\boxed{1}+\dfrac{\boxed{2}}{7}=\boxed{1}\dfrac{\boxed{2}}{7}$

2 $8\dfrac{7}{8}-4\dfrac{4}{8}=(8-\boxed{\ })+\left(\dfrac{7}{8}-\dfrac{\boxed{\ }}{8}\right)=\boxed{\ }+\dfrac{\boxed{\ }}{8}=\boxed{\ }\dfrac{\boxed{\ }}{8}$

3 $3\dfrac{9}{10}-1\dfrac{4}{10}=(3-\boxed{\ })+\left(\dfrac{9}{10}-\dfrac{\boxed{\ }}{10}\right)=\boxed{\ }+\dfrac{\boxed{\ }}{10}=\boxed{\ }\dfrac{\boxed{\ }}{10}$

4 $5\dfrac{11}{15}-2\dfrac{4}{15}=(5-\boxed{\ })+\left(\dfrac{11}{15}-\dfrac{\boxed{\ }}{15}\right)=\boxed{\ }+\dfrac{\boxed{\ }}{15}=\boxed{\ }\dfrac{\boxed{\ }}{15}$

🐙 계산을 하세요.

5 $5\dfrac{4}{5}$ ➡ $-3\dfrac{1}{5}$ ➡ ☐

6 $9\dfrac{4}{6}$ ➡ $-4\dfrac{3}{6}$ ➡ ☐

7 $8\dfrac{9}{14}$ ➡ $-5\dfrac{4}{14}$ ➡ ☐

8 $4\dfrac{11}{12}$ ➡ $-1\dfrac{4}{12}$ ➡ ☐

9 $7\dfrac{8}{10}$ ➡ $-4\dfrac{5}{10}$ ➡ ☐

10 $9\dfrac{4}{7}$ ➡ $-1\dfrac{3}{7}$ ➡ ☐

11 $10\dfrac{4}{5}$ ➡ $-6\dfrac{2}{5}$ ➡ ☐

12 $5\dfrac{5}{13}$ ➡ $-4\dfrac{3}{13}$ ➡ ☐

13 $8\dfrac{9}{11}$ ➡ $-5\dfrac{5}{11}$ ➡ ☐

14 $9\dfrac{4}{9}$ ➡ $-7\dfrac{2}{9}$ ➡ ☐

◎2단계 분수의 뺄셈

2. 분모가 같은 대분수의 뺄셈(1)

예 $3\frac{3}{5}-1\frac{1}{5}$의 계산

대분수를 가분수로 바꾸어 계산해!

$$3\frac{3}{5}-1\frac{1}{5}=\frac{18}{5}-\frac{6}{5}=\frac{12}{5}=2\frac{2}{5}$$

계산 결과가 가분수이면
대분수로 나타내야 해!

🐙 계산을 하세요.

1 $6\frac{2}{5}-4\frac{1}{5}=\frac{32}{5}-\frac{\boxed{21}}{5}=\frac{\boxed{11}}{5}=\boxed{2}\frac{\boxed{1}}{5}$

2 $6\frac{7}{9}-3\frac{5}{9}=\frac{61}{9}-\frac{\boxed{}}{9}=\frac{\boxed{}}{9}=\boxed{}\frac{\boxed{}}{9}$

3 $6\frac{3}{11}-3\frac{1}{11}=\frac{69}{11}-\frac{\boxed{}}{11}=\frac{\boxed{}}{11}=\boxed{}\frac{\boxed{}}{11}$

4 $4\frac{11}{20}-1\frac{6}{20}=\frac{91}{20}-\frac{\boxed{}}{20}=\frac{\boxed{}}{20}=\boxed{}\frac{\boxed{}}{20}$

🐙 계산을 하세요.

5　$7\dfrac{3}{4}$　$-4\dfrac{2}{4}$

6　$4\dfrac{4}{5}$　$-3\dfrac{1}{5}$

7　$11\dfrac{6}{7}$　$-8\dfrac{3}{7}$

8　$9\dfrac{5}{8}$　$-1\dfrac{2}{8}$

9　$9\dfrac{4}{9}$　$-2\dfrac{3}{9}$

10　$3\dfrac{8}{10}$　$-2\dfrac{5}{10}$

11　$7\dfrac{9}{12}$　$-3\dfrac{8}{12}$

12　$7\dfrac{9}{14}$　$-1\dfrac{4}{14}$

13　$5\dfrac{9}{15}$　$-3\dfrac{2}{15}$

14　$8\dfrac{13}{16}$　$-3\dfrac{6}{16}$

15　$8\dfrac{15}{18}$　$-2\dfrac{8}{18}$

16　$4\dfrac{14}{19}$　$-3\dfrac{8}{19}$

2. 분모가 같은 대분수의 뺄셈(1)

🐙 계산을 하세요.

1 $4\frac{3}{4}-2\frac{2}{4}$

2 $8\frac{4}{5}-3\frac{3}{5}$

3 $3\frac{3}{6}-1\frac{2}{6}$

4 $5\frac{5}{7}-2\frac{2}{7}$

5 $5\frac{4}{8}-1\frac{1}{8}$

6 $6\frac{7}{9}-4\frac{4}{9}$

7 $7\frac{9}{10}-5\frac{2}{10}$

8 $8\frac{8}{14}-4\frac{3}{14}$

9 $2\frac{13}{15}-1\frac{6}{15}$

10 $5\frac{7}{16}-2\frac{4}{16}$

11 $8\frac{7}{18}-7\frac{2}{18}$

12 $4\frac{15}{19}-3\frac{9}{19}$

13 $7\frac{17}{20}-4\frac{8}{20}$

14 $8\frac{14}{25}-1\frac{11}{25}$

🐙 ☐ 안에 알맞은 수를 써넣으세요.

15

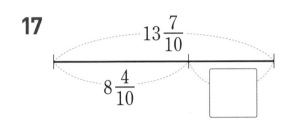

$8\frac{6}{7}$

$3\frac{1}{7}$

16

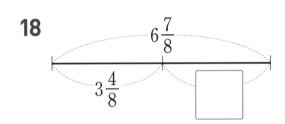

$7\frac{6}{9}$

$3\frac{2}{9}$

17

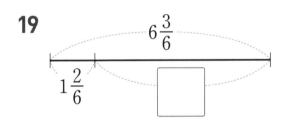

$13\frac{7}{10}$

$8\frac{4}{10}$

18

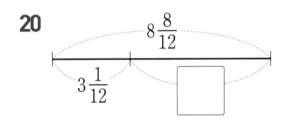

$6\frac{7}{8}$

$3\frac{4}{8}$

19

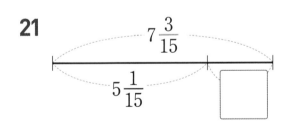

$6\frac{3}{6}$

$1\frac{2}{6}$

20

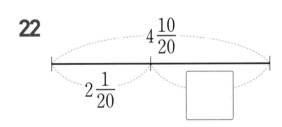

$8\frac{8}{12}$

$3\frac{1}{12}$

21

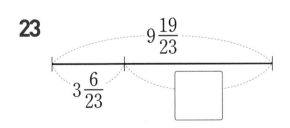

$7\frac{3}{15}$

$5\frac{1}{15}$

22

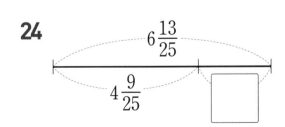

$4\frac{10}{20}$

$2\frac{1}{20}$

23

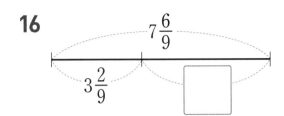

$9\frac{19}{23}$

$3\frac{6}{23}$

24

$6\frac{13}{25}$

$4\frac{9}{25}$

2. 분모가 같은 대분수의 뺄셈(1)

🐙 계산을 하세요.

1 $9\frac{2}{3}-4\frac{1}{3}$

2 $7\frac{2}{5}-2\frac{1}{5}$

3 $13\frac{6}{7}-6\frac{4}{7}$

4 $9\frac{5}{8}-2\frac{4}{8}$

5 $7\frac{4}{9}-2\frac{3}{9}$

6 $6\frac{4}{10}-4\frac{3}{10}$

7 $7\frac{11}{12}-5\frac{4}{12}$

8 $8\frac{7}{13}-1\frac{2}{13}$

9 $4\frac{13}{15}-3\frac{9}{15}$

10 $9\frac{12}{17}-5\frac{9}{17}$

11 $6\frac{17}{18}-3\frac{6}{18}$

12 $5\frac{15}{19}-2\frac{3}{19}$

13 $4\frac{17}{20}-3\frac{14}{20}$

14 $6\frac{18}{25}-1\frac{9}{25}$

계산을 하세요.

15

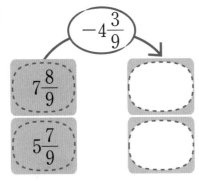

$-4\frac{3}{9}$

$7\frac{8}{9}$

$5\frac{7}{9}$

16

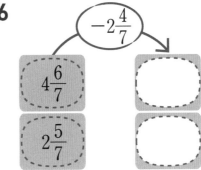

$-2\frac{4}{7}$

$4\frac{6}{7}$

$2\frac{5}{7}$

17

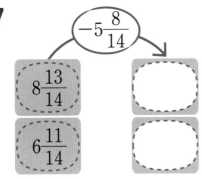

$-5\frac{8}{14}$

$8\frac{13}{14}$

$6\frac{11}{14}$

18

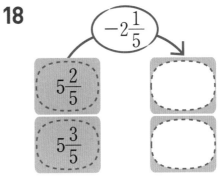

$-2\frac{1}{5}$

$5\frac{2}{5}$

$5\frac{3}{5}$

19

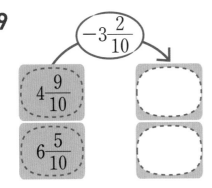

$-3\frac{2}{10}$

$4\frac{9}{10}$

$6\frac{5}{10}$

20

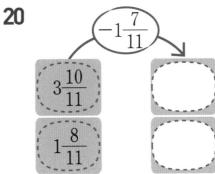

$-1\frac{7}{11}$

$3\frac{10}{11}$

$1\frac{8}{11}$

💡 **생활 속 연산**

냄비에 물 $2\frac{3}{5}$ L를 담아 몇 시간 동안 끓였더니 물이 $1\frac{2}{5}$ L 남았습니다. 증발한 물은 몇 L인지 구하세요.

(   )

 **2단계** 분수의 뺄셈

3. (자연수)−(분수)

예 $4-1\dfrac{3}{7}$ 의 계산

자연수에서 1만큼을 가분수로 바꾸어 계산해.

$$4-1\dfrac{3}{7}=3\dfrac{7}{7}-1\dfrac{3}{7}=2\dfrac{4}{7}$$

$1=\dfrac{★}{★}$ 로 나타낼 수 있어!

🐙 계산을 하세요.

1 $1-\dfrac{4}{7}=\dfrac{\boxed{7}}{7}-\dfrac{\boxed{4}}{7}=\dfrac{\boxed{3}}{7}$

2 $3-\dfrac{1}{4}=2\dfrac{\boxed{}}{4}-\dfrac{\boxed{}}{4}=\boxed{}\dfrac{\boxed{}}{4}$

3 $4-\dfrac{5}{6}=3\dfrac{\boxed{}}{6}-\dfrac{\boxed{}}{6}=\boxed{}\dfrac{\boxed{}}{6}$

4 $2-\dfrac{5}{11}=\boxed{}\dfrac{\boxed{}}{11}-\dfrac{\boxed{}}{11}=\boxed{}\dfrac{\boxed{}}{11}$

5 $4-\dfrac{9}{13}=\boxed{}\dfrac{\boxed{}}{13}-\dfrac{\boxed{}}{13}=\boxed{}\dfrac{\boxed{}}{13}$

🐙 계산을 하세요.

6

7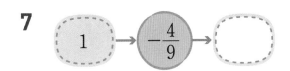

8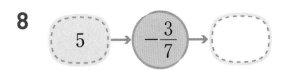

9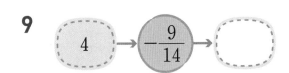

10

11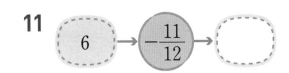

12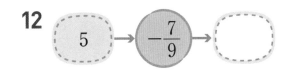

13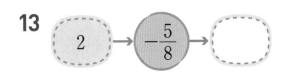

14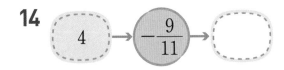

15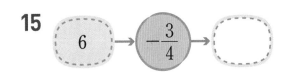

16

17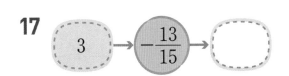

⊙ 2단계 분수의 뺄셈

3. (자연수)−(분수)

예 $4-1\dfrac{3}{7}$의 계산

자연수와 대분수를 모두 가분수로 바꾸어 계산해.

$$4-1\dfrac{3}{7}=\dfrac{28}{7}-\dfrac{10}{7}=\dfrac{18}{7}=2\dfrac{4}{7}$$

🐙 계산을 하세요.

1 $\quad 2-1\dfrac{2}{5}=\dfrac{\boxed{10}}{5}-\dfrac{\boxed{7}}{5}=\dfrac{\boxed{3}}{5}$

2 $\quad 5-1\dfrac{1}{3}=\dfrac{\boxed{}}{3}-\dfrac{\boxed{}}{3}=\dfrac{\boxed{}}{3}=\boxed{}\dfrac{\boxed{}}{3}$

3 $\quad 6-3\dfrac{1}{9}=\dfrac{\boxed{}}{9}-\dfrac{\boxed{}}{9}=\dfrac{\boxed{}}{9}=\boxed{}\dfrac{\boxed{}}{9}$

4 $\quad 8-4\dfrac{3}{10}=\dfrac{\boxed{}}{10}-\dfrac{\boxed{}}{10}=\dfrac{\boxed{}}{10}=\boxed{}\dfrac{\boxed{}}{10}$

5 $\quad 7-4\dfrac{1}{12}=\dfrac{\boxed{}}{12}-\dfrac{\boxed{}}{12}=\dfrac{\boxed{}}{12}=\boxed{}\dfrac{\boxed{}}{12}$

🐙 계산을 하세요.

6
$$3 \quad -1\frac{5}{13}$$

7
$$4 \quad -2\frac{9}{10}$$

8
$$5 \quad -3\frac{3}{7}$$

9
$$6 \quad -5\frac{5}{14}$$

10
$$7 \quad -2\frac{3}{11}$$

11
$$8 \quad -4\frac{4}{9}$$

12
$$9 \quad -5\frac{1}{8}$$

13
$$10 \quad -9\frac{1}{4}$$

14
$$11 \quad -5\frac{3}{5}$$

15
$$12 \quad -10\frac{1}{6}$$

16
$$6 \quad -1\frac{1}{9}$$

17
$$8 \quad -7\frac{1}{2}$$

3. (자연수)−(분수)

🐙 계산을 하세요.

1 $2-1\dfrac{1}{4}$

2 $3-2\dfrac{5}{6}$

3 $5-3\dfrac{2}{5}$

4 $5-4\dfrac{1}{11}$

5 $6-4\dfrac{2}{3}$

6 $7-2\dfrac{3}{8}$

7 $7-5\dfrac{4}{7}$

8 $10-2\dfrac{2}{9}$

9 $4-1\dfrac{3}{7}$

10 $7-4\dfrac{7}{10}$

11 $9-7\dfrac{3}{4}$

12 $5-4\dfrac{3}{8}$

13 $4-2\dfrac{1}{12}$

14 $3-1\dfrac{4}{13}$

🐙 계산을 하세요.

15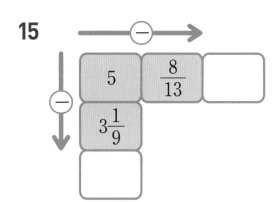

16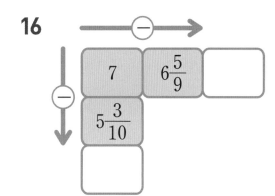

17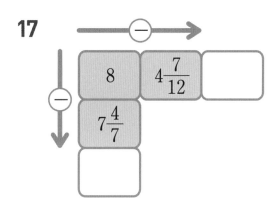

18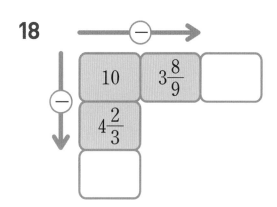

19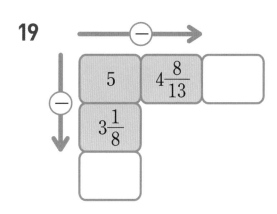

20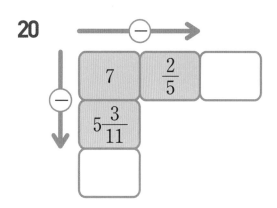

21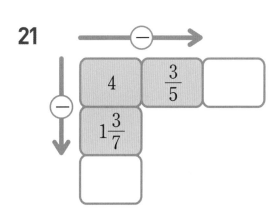

22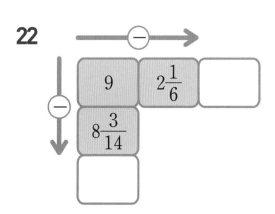

◎ 2단계 분수의 뺄셈

3. (자연수)−(분수)

🐙 계산을 하세요.

1 $4-\dfrac{1}{7}$

2 $6-\dfrac{3}{11}$

3 $9-\dfrac{5}{9}$

4 $11-\dfrac{1}{4}$

5 $3-1\dfrac{5}{6}$

6 $5-2\dfrac{1}{10}$

7 $12-9\dfrac{2}{3}$

8 $10-7\dfrac{4}{9}$

9 $2-1\dfrac{2}{7}$

10 $4-1\dfrac{5}{6}$

11 $7-3\dfrac{1}{5}$

12 $9-3\dfrac{4}{9}$

13 $15-9\dfrac{1}{2}$

14 $5-2\dfrac{11}{13}$

15 계산 결과가 바르게 적힌 길을 따라 강아지와 산책하려고 합니다. 바른 계산 결과를 따라 알맞게 선을 그어 보세요.

4. 분모가 같은 대분수의 뺄셈(2)

예 $4\dfrac{1}{3}-2\dfrac{2}{3}$의 계산

$$4\dfrac{1}{3}-2\dfrac{2}{3}=3\dfrac{4}{3}-2\dfrac{2}{3}=(3-2)+\left(\dfrac{4}{3}-\dfrac{2}{3}\right)=1+\dfrac{2}{3}=1\dfrac{2}{3}$$

$\dfrac{1}{3}$에서 $\dfrac{2}{3}$를 뺄 수 없으니 $4\dfrac{1}{3}$을 $3\dfrac{4}{3}$로 바꿔서 계산해.

계산을 하세요.

1 $9\dfrac{2}{4}-1\dfrac{3}{4}=8\dfrac{\boxed{6}}{4}-1\dfrac{3}{4}=(\boxed{8}-1)+\left(\dfrac{\boxed{6}}{4}-\dfrac{\boxed{3}}{4}\right)=\boxed{7}+\dfrac{\boxed{3}}{4}=\boxed{7}\dfrac{\boxed{3}}{4}$

2 $7\dfrac{1}{6}-5\dfrac{3}{6}=6\dfrac{\boxed{}}{6}-5\dfrac{3}{6}=(\boxed{}-5)+\left(\dfrac{\boxed{}}{6}-\dfrac{\boxed{}}{6}\right)=\boxed{}+\dfrac{\boxed{}}{6}=\boxed{}\dfrac{\boxed{}}{6}$

3 $3\dfrac{1}{8}-1\dfrac{7}{8}=2\dfrac{\boxed{}}{8}-1\dfrac{7}{8}=(\boxed{}-1)+\left(\dfrac{\boxed{}}{8}-\dfrac{\boxed{}}{8}\right)=\boxed{}+\dfrac{\boxed{}}{8}=\boxed{}\dfrac{\boxed{}}{8}$

4 $4\dfrac{3}{5}-1\dfrac{4}{5}=3\dfrac{\boxed{}}{5}-1\dfrac{4}{5}=(\boxed{}-1)+\left(\dfrac{\boxed{}}{5}-\dfrac{\boxed{}}{5}\right)=\boxed{}+\dfrac{\boxed{}}{5}=\boxed{}\dfrac{\boxed{}}{5}$

5 $8\dfrac{2}{7}-4\dfrac{6}{7}=7\dfrac{\boxed{}}{7}-4\dfrac{6}{7}=(\boxed{}-4)+\left(\dfrac{\boxed{}}{7}-\dfrac{\boxed{}}{7}\right)=\boxed{}+\dfrac{\boxed{}}{7}=\boxed{}\dfrac{\boxed{}}{7}$

🐙 계산을 하세요.

6

$5\dfrac{2}{6}$ ➡ $-2\dfrac{3}{6}$ ➡ ☐

7

$4\dfrac{1}{4}$ ➡ $-3\dfrac{2}{4}$ ➡ ☐

8

$8\dfrac{2}{9}$ ➡ $-1\dfrac{7}{9}$ ➡ ☐

9

$7\dfrac{4}{13}$ ➡ $-4\dfrac{8}{13}$ ➡ ☐

10

$9\dfrac{6}{17}$ ➡ $-6\dfrac{13}{17}$ ➡ ☐

11

$14\dfrac{1}{7}$ ➡ $-8\dfrac{5}{7}$ ➡ ☐

12

$15\dfrac{1}{5}$ ➡ $-8\dfrac{4}{5}$ ➡ ☐

13

$6\dfrac{5}{12}$ ➡ $-2\dfrac{10}{12}$ ➡ ☐

14

$7\dfrac{4}{9}$ ➡ $-5\dfrac{8}{9}$ ➡ ☐

15

$3\dfrac{3}{10}$ ➡ $-1\dfrac{4}{10}$ ➡ ☐

◎ 2단계 분수의 뺄셈

4. 분모가 같은 대분수의 뺄셈(2)

예 $4\frac{1}{3} - 2\frac{2}{3}$ 의 계산

대분수를 가분수로 바꿔서 계산해.

$$4\frac{1}{3} - 2\frac{2}{3} = \frac{13}{3} - \frac{8}{3} = \frac{5}{3} = 1\frac{2}{3}$$

🐙 계산을 하세요.

1 $4\frac{1}{5} - 1\frac{3}{5} = \frac{\boxed{21}}{5} - \frac{\boxed{8}}{5} = \frac{\boxed{13}}{5} = 2\frac{\boxed{3}}{5}$

2 $3\frac{4}{7} - 1\frac{5}{7} = \frac{\boxed{}}{7} - \frac{\boxed{}}{7} = \frac{\boxed{}}{7} = 1\frac{\boxed{}}{7}$

3 $5\frac{1}{9} - 2\frac{2}{9} = \frac{\boxed{}}{9} - \frac{\boxed{}}{9} = \frac{\boxed{}}{9} = 2\frac{\boxed{}}{9}$

4 $4\frac{6}{10} - 2\frac{9}{10} = \frac{\boxed{}}{10} - \frac{\boxed{}}{10} = \frac{\boxed{}}{10} = 1\frac{\boxed{}}{10}$

5 $4\frac{9}{15} - 1\frac{11}{15} = \frac{\boxed{}}{15} - \frac{\boxed{}}{15} = \frac{\boxed{}}{15} = 2\frac{\boxed{}}{15}$

🐙 계산을 하세요.

6 $4\dfrac{1}{7}$ $-1\dfrac{4}{7}$

7 $9\dfrac{1}{3}$ $-5\dfrac{2}{3}$

8 $8\dfrac{3}{10}$ $-3\dfrac{6}{10}$

9 $5\dfrac{3}{6}$ $-1\dfrac{4}{6}$

10 $7\dfrac{1}{5}$ $-3\dfrac{2}{5}$

11 $8\dfrac{1}{11}$ $-3\dfrac{5}{11}$

12 $6\dfrac{4}{12}$ $-2\dfrac{11}{12}$

13 $5\dfrac{1}{8}$ $-1\dfrac{6}{8}$

14 $11\dfrac{2}{9}$ $-4\dfrac{4}{9}$

15 $4\dfrac{1}{13}$ $-3\dfrac{7}{13}$

16 $3\dfrac{4}{7}$ $-1\dfrac{6}{7}$

17 $5\dfrac{2}{9}$ $-2\dfrac{3}{9}$

◎ 2단계 분수의 뺄셈

4. 분모가 같은 대분수의 뺄셈(2)

🐙 계산을 하세요.

1 $2\frac{1}{4}-1\frac{2}{4}$

2 $9\frac{5}{8}-2\frac{6}{8}$

3 $7\frac{3}{7}-2\frac{4}{7}$

4 $15\frac{1}{3}-8\frac{2}{3}$

5 $6\frac{3}{6}-4\frac{4}{6}$

6 $9\frac{2}{5}-3\frac{3}{5}$

7 $8\frac{8}{11}-7\frac{10}{11}$

8 $12\frac{2}{9}-7\frac{7}{9}$

9 $6\frac{1}{6}-4\frac{2}{6}$

10 $7\frac{6}{10}-3\frac{9}{10}$

11 $8\frac{5}{13}-5\frac{9}{13}$

12 $3\frac{7}{15}-1\frac{14}{15}$

13 $4\frac{11}{16}-1\frac{14}{16}$

14 $7\frac{10}{17}-1\frac{13}{17}$

🐙 ☐ 안에 알맞은 수를 써넣으세요.

15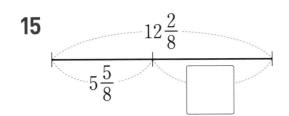

16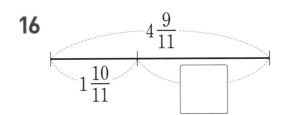

17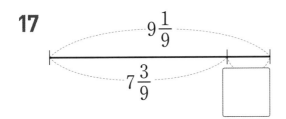

18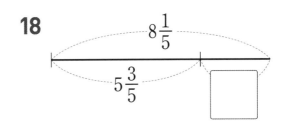

19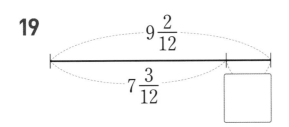

20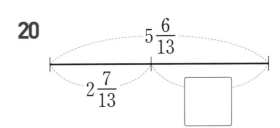

21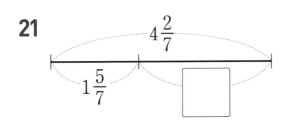

22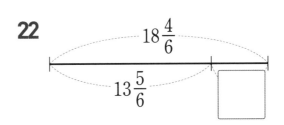

23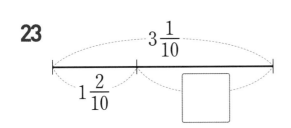

24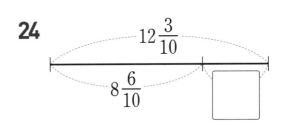

DAY
16

4. 분모가 같은 대분수의 뺄셈(2)

🐙 계산을 하세요.

1 $7\frac{4}{8}-1\frac{7}{8}$

2 $11\frac{2}{5}-6\frac{4}{5}$

3 $5\frac{3}{13}-2\frac{8}{13}$

4 $3\frac{1}{6}-1\frac{2}{6}$

5 $6\frac{6}{12}-4\frac{11}{12}$

6 $10\frac{4}{9}-2\frac{6}{9}$

7 $5\frac{2}{5}-4\frac{3}{5}$

8 $13\frac{1}{4}-7\frac{2}{4}$

9 $6\frac{3}{9}-2\frac{7}{9}$

10 $7\frac{8}{11}-3\frac{10}{11}$

11 $20\frac{3}{14}-14\frac{12}{14}$

12 $9\frac{4}{15}-8\frac{6}{15}$

13 $3\frac{8}{16}-1\frac{13}{16}$

14 $8\frac{2}{17}-4\frac{9}{17}$

🐙 두 분수의 차를 구하세요.

15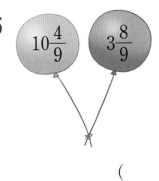

(   )

16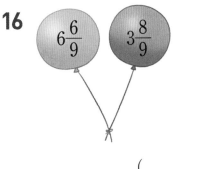

(   )

17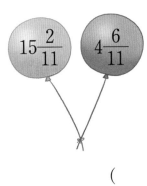

(   )

18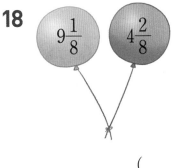

(   )

19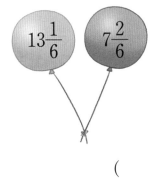

(   )

20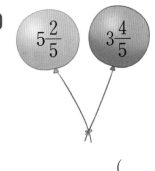

(   )

💡 **생활 속 연산**

소현이가 케이크를 만들고 있습니다. 생크림 $2\frac{1}{13}$ L 중 케이크를 만드는 데 사용하고 남은 생크림은 $1\frac{12}{13}$ L입니다. 소현이가 사용한 생크림은 몇 L인지 구하세요.

(   )

2단계 분수의 뺄셈

마무리 연산

🐙 계산을 하세요.

1 $\dfrac{4}{5} - \dfrac{1}{5}$

2 $\dfrac{6}{7} - \dfrac{4}{7}$

3 $\dfrac{7}{8} - \dfrac{4}{8}$

4 $\dfrac{6}{9} - \dfrac{1}{9}$

5 $\dfrac{9}{12} - \dfrac{2}{12}$

6 $\dfrac{12}{13} - \dfrac{7}{13}$

7 $\dfrac{13}{14} - \dfrac{8}{14}$

8 $\dfrac{13}{15} - \dfrac{5}{15}$

9 $\dfrac{7}{16} - \dfrac{2}{16}$

10 $\dfrac{15}{17} - \dfrac{3}{17}$

11 $\dfrac{17}{19} - \dfrac{13}{19}$

12 $\dfrac{19}{20} - \dfrac{8}{20}$

13 $\dfrac{21}{23} - \dfrac{8}{23}$

14 $\dfrac{27}{31} - \dfrac{19}{31}$

계산을 하세요.

15 $6\frac{3}{5}-1\frac{2}{5}$

16 $20\frac{4}{7}-7\frac{1}{7}$

17 $15\frac{5}{8}-7\frac{2}{8}$

18 $10\frac{7}{9}-3\frac{3}{9}$

19 $15\frac{5}{10}-12\frac{2}{10}$

20 $11\frac{9}{12}-7\frac{8}{12}$

21 $4\frac{13}{14}-1\frac{8}{14}$

22 $19\frac{7}{15}-14\frac{3}{15}$

23 $9\frac{11}{17}-4\frac{8}{17}$

24 $5\frac{13}{18}-3\frac{8}{18}$

25 $17\frac{16}{19}-13\frac{7}{19}$

26 $5\frac{7}{20}-4\frac{4}{20}$

27 $4\frac{19}{24}-1\frac{6}{24}$

28 $7\frac{23}{30}-4\frac{16}{30}$

마무리 연산

🐙 계산을 하세요.

1 $1-\dfrac{3}{5}$

2 $1-\dfrac{4}{7}$

3 $1-\dfrac{7}{10}$

4 $1-\dfrac{5}{13}$

5 $7-5\dfrac{1}{6}$

6 $10-\dfrac{3}{8}$

7 $11-8\dfrac{4}{9}$

8 $2-1\dfrac{8}{11}$

9 $4-1\dfrac{7}{8}$

10 $14-4\dfrac{6}{7}$

11 $10-6\dfrac{2}{9}$

12 $6-5\dfrac{6}{7}$

13 $13-8\dfrac{3}{5}$

14 $6-4\dfrac{1}{2}$

🐙 계산을 하세요.

15 $9\frac{2}{4}-6\frac{3}{4}$

16 $6\frac{1}{6}-2\frac{2}{6}$

17 $5\frac{1}{3}-1\frac{2}{3}$

18 $20\frac{2}{5}-12\frac{3}{5}$

19 $9\frac{1}{6}-6\frac{2}{6}$

20 $12\frac{2}{7}-8\frac{5}{7}$

21 $4\frac{3}{8}-1\frac{4}{8}$

22 $7\frac{2}{9}-2\frac{6}{9}$

23 $9\frac{1}{10}-1\frac{8}{10}$

24 $14\frac{7}{11}-7\frac{9}{11}$

25 $15\frac{5}{12}-6\frac{10}{12}$

26 $8\frac{5}{13}-3\frac{12}{13}$

27 $5\frac{11}{15}-2\frac{13}{15}$

28 $10\frac{4}{17}-6\frac{11}{17}$

3

소수

계산 실수를 하지 않게 집중해서
풀어 보자!

학습 결과와 시간을 써 보세요!

학습 내용	학습 회차	맞힌 개수/걸린 시간
1. 소수 두 자리 수	DAY 01	/
	DAY 02	/
	DAY 03	/
	DAY 04	/
2. 소수 세 자리 수	DAY 05	/
	DAY 06	/
	DAY 07	/
	DAY 08	/
3. 소수의 크기 비교	DAY 09	/
	DAY 10	/
	DAY 11	/
4. 소수 사이의 관계	DAY 12	/
	DAY 13	/
	DAY 14	/
마무리 연산	DAY 15	/
	DAY 16	/

기초력 상승!

하나 둘! 하나 둘!

1. 소수 두 자리 수

● 0.01 **알아보기**

분수 $\frac{1}{100}$은 소수로 0.01이라 쓰고, 영 점 영일이라고 읽습니다.

↪ 소수를 읽을 때 소수점 앞과 뒤로 띄어서 읽어!

예 3.25 **알아보기**

분수 $3\frac{25}{100}$는 소수로 3.25라 쓰고, 삼 점 이오라고 읽습니다.

🐙 분수를 소수로 나타내고 읽어 보세요.

1 $\frac{4}{100}$

쓰기	0.04
읽기	영 점 영사

2 $\frac{8}{100}$

쓰기	
읽기	

3 $\frac{15}{100}$

쓰기	
읽기	

4 $\frac{63}{100}$

쓰기	
읽기	

5 $\frac{52}{100}$

쓰기	
읽기	

6 $2\frac{27}{100}$

쓰기	
읽기	

7 $3\frac{6}{100}$

쓰기	
읽기	

8 $7\frac{2}{100}$

쓰기	
읽기	

🐙 ☐ 안에 알맞은 소수를 써넣으세요.

9

10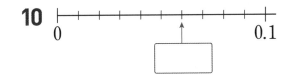

11

12

13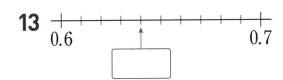

14

15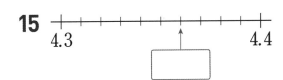

16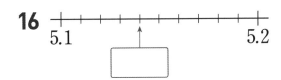

17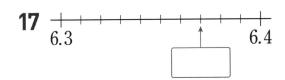

18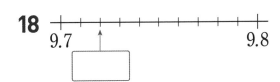

19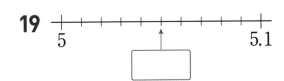

20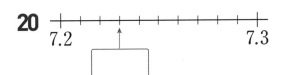

1. 소수 두 자리 수

예 **4.57의 자릿값 알아보기**

4.57에서 4는 일의 자리 숫자이고 4를 나타냅니다.

5는 소수 첫째 자리 숫자이고 0.5를 나타냅니다.

7은 소수 둘째 자리 숫자이고 0.07을 나타냅니다.

4.57 ➡ 1이 4개, 0.1이 5개, 0.01이 7개인 수

4.57은 0.01이 457개인 수야!

🐙 ☐ 안에 알맞은 소수를 써넣으세요.

1 0.01이 3개인 수 ➡ 0.03

2 0.01이 9개인 수 ➡ ☐

3 0.01이 49개인 수 ➡ ☐

4 0.01이 64개인 수 ➡ ☐

5 0.01이 75개인 수 ➡ ☐

6 0.01이 84개인 수 ➡ ☐

7 0.01이 191개인 수 ➡ ☐

8 0.01이 105개인 수 ➡ ☐

9 0.01이 524개인 수 ➡ ☐

10 0.01이 782개인 수 ➡ ☐

🐙 ☐ 안에 알맞은 수를 써넣으세요.

11
5.74는
- 1이 ☐ 개
- 0.1이 ☐ 개
- 0.01이 ☐ 개

12
3.68은
- 1이 ☐ 개
- 0.1이 ☐ 개
- 0.01이 ☐ 개

13
6.37은
- 1이 ☐ 개
- 0.1이 ☐ 개
- 0.01이 ☐ 개

14
1.49는
- 1이 ☐ 개
- 0.1이 ☐ 개
- 0.01이 ☐ 개

15
4.16은
- 1이 ☐ 개
- 0.1이 ☐ 개
- 0.01이 ☐ 개

16
8.91은
- 1이 ☐ 개
- 0.1이 ☐ 개
- 0.01이 ☐ 개

17
7.53은
- 1이 ☐ 개
- 0.1이 ☐ 개
- 0.01이 ☐ 개

18
9.82는
- 1이 ☐ 개
- 0.1이 ☐ 개
- 0.01이 ☐ 개

19
2.54는
- 1이 ☐ 개
- 0.1이 ☐ 개
- 0.01이 ☐ 개

20
6.15는
- 1이 ☐ 개
- 0.1이 ☐ 개
- 0.01이 ☐ 개

🎯 3단계 소수

1. 소수 두 자리 수

🐙 설명을 보고 알맞은 소수를 쓰세요.

1 1이 1개, 0.1이 9개, 0.01이 6개인 수
➡ (   )

2 1이 6개, 0.1이 7개, 0.01이 4개인 수
➡ (   )

3 1이 4개, 0.1이 8개, 0.01이 2개인 수
➡ (   )

4 1이 2개, 0.1이 0개, 0.01이 8개인 수
➡ (   )

5 1이 7개, 0.1이 1개, 0.01이 4개인 수
➡ (   )

6 1이 8개, 0.1이 3개, 0.01이 4개인 수
➡ (   )

7 1이 9개, 0.1이 4개, 0.01이 2개인 수
➡ (   )

8 1이 3개, 0.1이 1개, 0.01이 7개인 수
➡ (   )

9 1이 5개, 0.1이 3개, 0.01이 5개인 수
➡ (   )

10 1이 6개, 0.1이 8개, 0.01이 7개인 수
➡ (   )

11 1이 7개, 0.1이 0개, 0.01이 4개인 수
➡ (   )

12 1이 1개, 0.1이 1개, 0.01이 5개인 수
➡ (   )

🐙 주어진 자리의 숫자를 쓰세요.

13 소수 첫째 자리 숫자

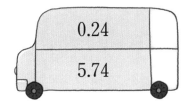

0.24

5.74

14 소수 둘째 자리 숫자

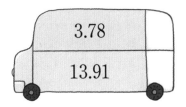

3.78

13.91

15 소수 첫째 자리 숫자

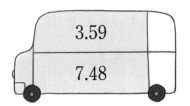

3.59

7.48

16 소수 둘째 자리 숫자

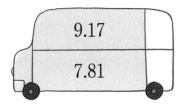

9.17

7.81

17 소수 첫째 자리 숫자

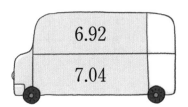

6.92

7.04

18 소수 둘째 자리 숫자

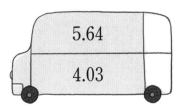

5.64

4.03

19 소수 첫째 자리 숫자

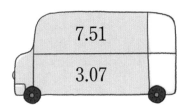

7.51

3.07

20 소수 둘째 자리 숫자

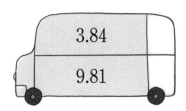

3.84

9.81

◎ 3단계 소수

1. 소수 두 자리 수

🐙 밑줄 친 숫자가 나타내는 수를 빈 곳에 써넣으세요.

1 1.2<u>5</u> → 0.05

2 <u>3</u>.74 →

3 9.1<u>7</u> →

4 16.7<u>2</u> →

5 5<u>4</u>.07 →

6 0.8<u>3</u> →

7 8.9<u>1</u> →

8 7.<u>5</u>9 →

9 <u>6</u>.52 →

10 5.7<u>2</u> →

11 10.6<u>7</u> →

12 <u>3</u>2.18 →

🐙 알맞은 수에 ○표 하세요.

13
숫자 8이 0.8을 나타내는 수
0.58　　　0.85　　　8.22

14
숫자 9가 0.09를 나타내는 수
5.09　　　1.94　　　9.57

15
숫자 5가 5를 나타내는 수
5.41　　　0.95　　　6.52

16
숫자 3이 0.03을 나타내는 수
1.34　　　0.63　　　3.04

17
숫자 2가 0.2를 나타내는 수
0.92　　　2.64　　　0.28

18
숫자 7이 7을 나타내는 수
1.17　　　7.08　　　0.74

19
숫자 6이 0.06을 나타내는 수
6.14　　　2.63　　　9.06

20
숫자 4가 0.4를 나타내는 수
4.03　　　6.41　　　6.54

21
숫자 3이 0.03을 나타내는 수
6.34　　　3.94　　　8.03

22
숫자 2가 2를 나타내는 수
1.02　　　2.45　　　0.29

2. 소수 세 자리 수

● 0.001 **알아보기**

분수 $\dfrac{1}{1000}$은 소수로 0.001이라 쓰고, 영 점 영영일이라고 읽습니다.

예 5.018 **알아보기**

분수 $5\dfrac{18}{1000}$은 소수로 5.018이라 쓰고, 오 점 영일팔이라고 읽습니다.

분수를 소수로 나타내고 읽어 보세요.

1 $\dfrac{2}{1000}$

쓰기	0.002
읽기	영 점 영영이

2 $\dfrac{5}{1000}$

쓰기	
읽기	

3 $\dfrac{13}{1000}$

쓰기	
읽기	

4 $\dfrac{78}{1000}$

쓰기	
읽기	

5 $\dfrac{249}{1000}$

쓰기	
읽기	

6 $4\dfrac{9}{1000}$

쓰기	
읽기	

7 $6\dfrac{35}{1000}$

쓰기	
읽기	

8 $3\dfrac{107}{1000}$

쓰기	
읽기	

🐙 ☐ 안에 알맞은 소수를 써넣으세요.

9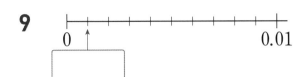

10

11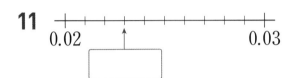

12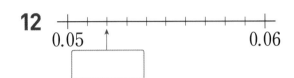

13

14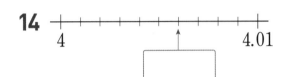

15

16

17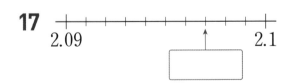

18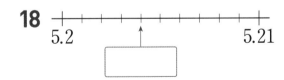

19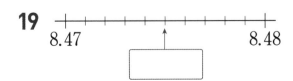

20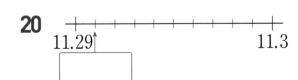

🎯 3단계 소수

2. 소수 세 자리 수

예 **2.196의 자릿값 알아보기**

2.196에서 2는 일의 자리 숫자이고 2를 나타냅니다.

1은 소수 첫째 자리 숫자이고 0.1을 나타냅니다.

9는 소수 둘째 자리 숫자이고 0.09를 나타냅니다.

6은 소수 셋째 자리 숫자이고 0.006을 나타냅니다.

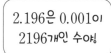

2.196은 0.001이 2196개인 수야!

2.196 ➡ 1이 2개, 0.1이 1개, 0.01이 9개, 0.001이 6개인 수

🐙 ☐ 안에 알맞은 소수를 써넣으세요.

1 0.001이 2개인 수 ➡ 0.002

2 0.001이 7개인 수 ➡ ☐

3 0.001이 36개인 수 ➡ ☐

4 0.001이 82개인 수 ➡ ☐

5 0.001이 605개인 수 ➡ ☐

6 0.001이 195개인 수 ➡ ☐

7 0.001이 1843개인 수 ➡ ☐

8 0.001이 3171개인 수 ➡ ☐

9 0.001이 6054개인 수 ➡ ☐

10 0.001이 6408개인 수 ➡ ☐

□ 안에 알맞은 수를 써넣으세요.

11

3.194는
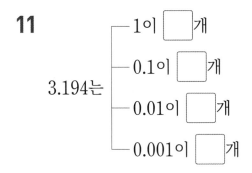
- 1이 □ 개
- 0.1이 □ 개
- 0.01이 □ 개
- 0.001이 □ 개

12

5.376은
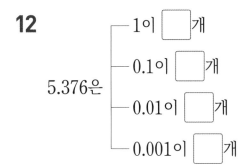
- 1이 □ 개
- 0.1이 □ 개
- 0.01이 □ 개
- 0.001이 □ 개

13

9.617은
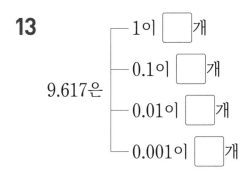
- 1이 □ 개
- 0.1이 □ 개
- 0.01이 □ 개
- 0.001이 □ 개

14

2.063은
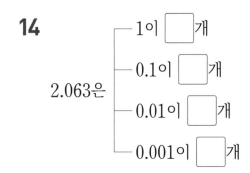
- 1이 □ 개
- 0.1이 □ 개
- 0.01이 □ 개
- 0.001이 □ 개

15

6.792는
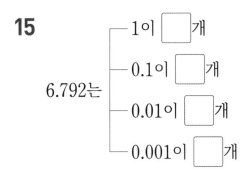
- 1이 □ 개
- 0.1이 □ 개
- 0.01이 □ 개
- 0.001이 □ 개

16

8.792는
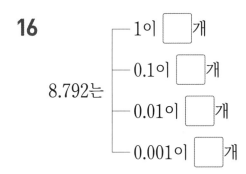
- 1이 □ 개
- 0.1이 □ 개
- 0.01이 □ 개
- 0.001이 □ 개

17

4.156은
- 1이 □ 개
- 0.1이 □ 개
- 0.01이 □ 개
- 0.001이 □ 개

18

9.274는
- 1이 □ 개
- 0.1이 □ 개
- 0.01이 □ 개
- 0.001이 □ 개

2. 소수 세 자리 수

🐙 설명을 보고 알맞은 소수를 쓰세요.

1 1이 1개, 0.1이 9개, 0.01이 6개, 0.001이 8개인 수 ➡ (　　　　　　　)

2 1이 2개, 0.1이 8개, 0.01이 4개, 0.001이 5개인 수 ➡ (　　　　　　　)

3 1이 4개, 0.1이 6개, 0.01이 5개, 0.001이 4개인 수 ➡ (　　　　　　　)

4 1이 6개, 0.1이 9개, 0.01이 4개, 0.001이 1개인 수 ➡ (　　　　　　　)

5 1이 3개, 0.1이 0개, 0.01이 7개, 0.001이 6개인 수 ➡ (　　　　　　　)

6 1이 9개, 0.1이 1개, 0.01이 7개, 0.001이 3개인 수 ➡ (　　　　　　　)

7 1이 4개, 0.1이 5개, 0.01이 0개, 0.001이 3개인 수 ➡ (　　　　　　　)

🐙 주어진 자리의 숫자를 쓰세요.

8 소수 첫째 자리 숫자
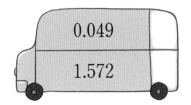

0.049

1.572

9 소수 둘째 자리 숫자
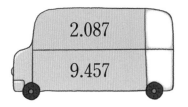

2.087

9.457

10 소수 셋째 자리 숫자
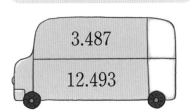

3.487

12.493

11 소수 첫째 자리 숫자
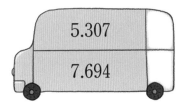

5.307

7.694

12 소수 둘째 자리 숫자
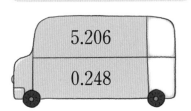

5.206

0.248

13 소수 셋째 자리 숫자
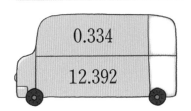

0.334

12.392

14 소수 첫째 자리 숫자
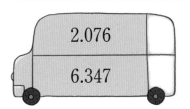

2.076

6.347

15 소수 둘째 자리 숫자
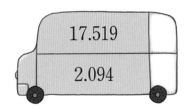

17.519

2.094

◎ 3단계 소수

2. 소수 세 자리 수

🐙 밑줄 친 숫자가 나타내는 수를 빈 곳에 써넣으세요.

1 5.1<u>9</u>7 → 0.09

2 3.42<u>6</u>

3 0.<u>4</u>75

4 <u>2</u>4.017

5 7.5<u>2</u>3

6 9.<u>3</u>07

7 16.2<u>3</u>7

8 8.57<u>4</u>

9 10.5<u>2</u>8

10 <u>5</u>.167

11 3.92<u>6</u>

12 4.9<u>1</u>3

🐙 알맞은 수에 ○표 하세요.

13 숫자 6이 0.006을 나타내는 수

| 2.469 | 5.614 | 2.126 |

14 숫자 3이 0.03을 나타내는 수

| 1.234 | 6.013 | 0.357 |

15 숫자 5가 0.5를 나타내는 수

| 5.647 | 2.548 | 7.154 |

16 숫자 2가 2를 나타내는 수

| 2.648 | 1.024 | 4.268 |

17 숫자 4가 0.004를 나타내는 수

| 4.596 | 9.743 | 5.014 |

18 숫자 9가 0.09를 나타내는 수

| 0.947 | 0.194 | 9.614 |

19 숫자 8이 0.8을 나타내는 수

| 6.807 | 5.684 | 9.018 |

20 숫자 7이 7을 나타내는 수

| 0.147 | 7.608 | 2.704 |

💡 **생활 속 연산**

마라톤은 42.195 km를 달리는 장거리 경주 종목입니다. 밑줄 친 숫자가 나타내는 수를 쓰세요.

(　　　　　)

◎ 3단계 소수

3. 소수의 크기 비교

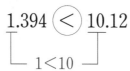 1.394와 10.12의 크기 비교

$$1.394 \;\textcircled{<}\; 10.12$$

1<10

자연수 부분을 먼저 비교해서
자연수가 큰 수가 더 큰 수야.

 5.185와 5.17의 크기 비교

$$5.185 \;\textcircled{>}\; 5.17$$

8>7

자연수 부분이 같으면 소수점 아래
각 자리의 수를 차례로 비교해.

0.2와 0.20은 같은 수야.
소수는 필요한 경우
오른쪽 끝자리에 0을
붙여 나타낼 수 있어.

🐙 두 수의 크기를 비교하여 ◯ 안에 >, =, <를 알맞게 써넣으세요.

1 3.74 $\textcircled{<}$ 4.76

2 5.13 ◯ 5.09

3 13.76 ◯ 20.7

4 4.6 ◯ 4.60

5 5.184 ◯ 5.36

6 0.495 ◯ 0.493

7 2.48 ◯ 2.480

8 3.23 ◯ 3.61

9 8.16 ◯ 8.18

10 9.06 ◯ 10.5

🐙 같은 수가 적힌 장갑끼리 색칠하세요.

11

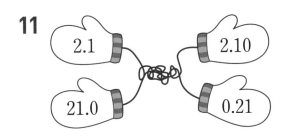

12

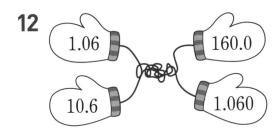

13

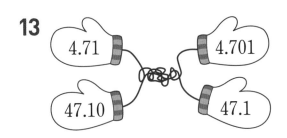

14

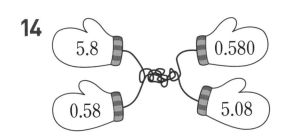

15

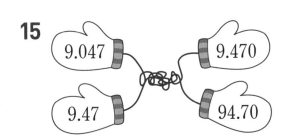

16

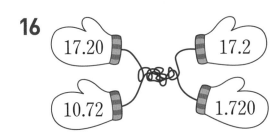

17

18

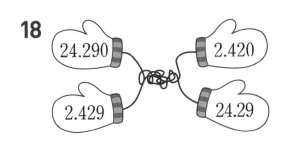

19

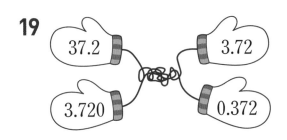

20

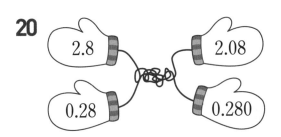

3단계 소수

3. 소수의 크기 비교

두 수의 크기를 비교하여 ◯ 안에 >, =, <를 알맞게 써넣으세요.

1 4.25 ◯ 4.34

2 7.15 ◯ 6.94

3 3.64 ◯ 3.640

4 0.294 ◯ 0.298

5 5.784 ◯ 9.041

6 1.57 ◯ 1.56

7 2.463 ◯ 2.436

8 5.49 ◯ 5.73

9 6.374 ◯ 6.539

10 8.73 ◯ 8.9

11 8.34 ◯ 6.97

12 6.8 ◯ 6.80

13 9.48 ◯ 7.321

14 0.498 ◯ 0.5

🐙 가장 큰 수를 찾아 ○표 하세요.

15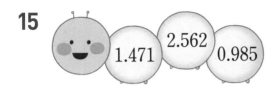

16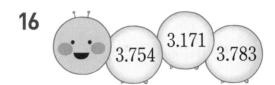

17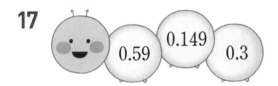

18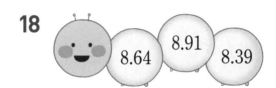

19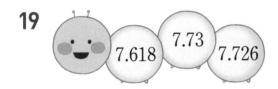

20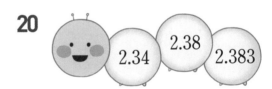

21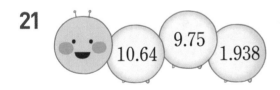

22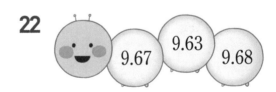

23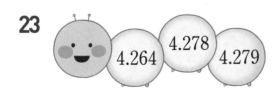

24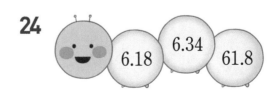

3. 소수의 크기 비교

🐙 두 수의 크기를 비교하여 ◯ 안에 >, =, <를 알맞게 써넣으세요.

1 1.54 ◯ 1.63

2 7.16 ◯ 8.45

3 2.471 ◯ 2.5

4 3.258 ◯ 3.149

5 5.24 ◯ 5.07

6 8.653 ◯ 8.652

7 0.594 ◯ 0.6

8 1.84 ◯ 1.840

9 9.754 ◯ 10.64

10 4.82 ◯ 4.84

11 12.5 ◯ 12.50

12 8.923 ◯ 9.047

13 4.168 ◯ 4.217

14 6.06 ◯ 6.064

🐙 큰 수부터 차례로 빈 곳에 1, 2, 3을 쓰세요.

15
7.351　7.099　7.504

16
9.16　8.49　8.62

17
4.59　4.6　4.519

18
7.532　7.531　7

19
6.054　6.09　6.18

20
13.25　1.39　13.7

21
2.594　2.742　2.716

22
8.72　8.61　8.69

23
6.314　6.294　6.054

24
5.148　5.138　5.149

◎ 3단계 소수

4. 소수 사이의 관계

● 소수의 10배, 100배 알아보기

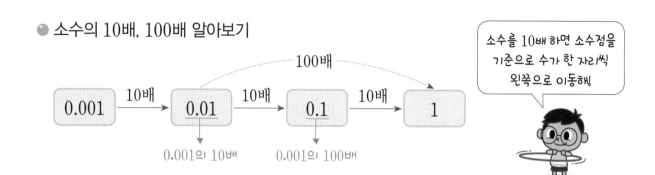

> 소수를 10배 하면 소수점을 기준으로 수가 한 자리씩 왼쪽으로 이동해!

🐙 빈칸에 알맞은 수를 써넣으세요.

1 0.005 →10배→ 0.05 →10배→ 0.5 →10배→ 5

2 4.739 →10배→ 47.39 →10배→ ☐ →10배→ ☐

3 6.304 →10배→ ☐ →10배→ ☐ →10배→ 6304

4 10.598 →10배→ 105.98 →10배→ ☐ →10배→ ☐

5 11.305 →10배→ ☐ →10배→ 1130.5 →10배→ ☐

🐙 빈 곳에 알맞은 수를 써넣으세요.

6
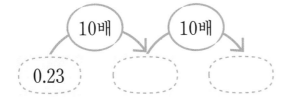

7
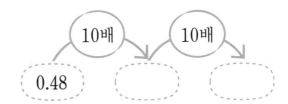

8
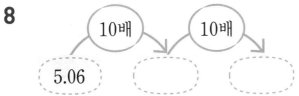

9
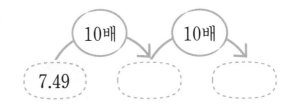

10
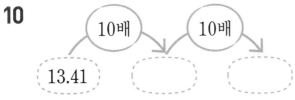

11
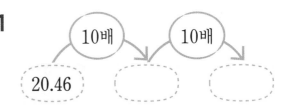

12
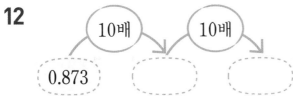

13
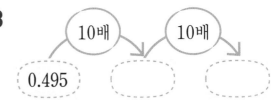

14
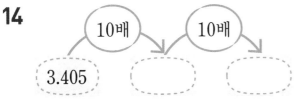

15
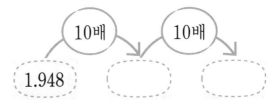

4. 소수 사이의 관계

● 소수의 $\frac{1}{10}$, $\frac{1}{100}$ 알아보기

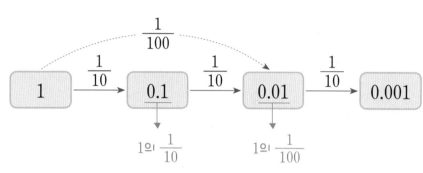

소수의 $\frac{1}{10}$ 을 하면 소수점을 기준으로 수가 한 자리씩 오른쪽으로 이동해

🐙 빈칸에 알맞은 수를 써넣으세요.

1 80 $\xrightarrow{\frac{1}{10}}$ 8 $\xrightarrow{\frac{1}{10}}$ 0.8 $\xrightarrow{\frac{1}{10}}$ 0.08

2 25 $\xrightarrow{\frac{1}{10}}$ 2.5 $\xrightarrow{\frac{1}{10}}$ ☐ $\xrightarrow{\frac{1}{10}}$ ☐

3 369 $\xrightarrow{\frac{1}{10}}$ ☐ $\xrightarrow{\frac{1}{10}}$ ☐ $\xrightarrow{\frac{1}{10}}$ 0.369

4 975 $\xrightarrow{\frac{1}{10}}$ ☐ $\xrightarrow{\frac{1}{10}}$ 9.75 $\xrightarrow{\frac{1}{10}}$ ☐

5 1845 $\xrightarrow{\frac{1}{10}}$ ☐ $\xrightarrow{\frac{1}{10}}$ ☐ $\xrightarrow{\frac{1}{10}}$ ☐

🐙 빈 곳에 알맞은 수를 써넣으세요.

6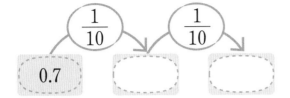

7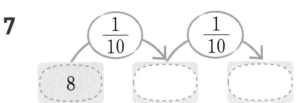

8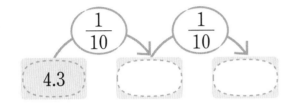

9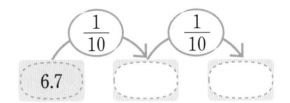

10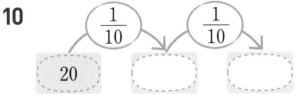

11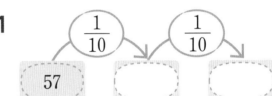

12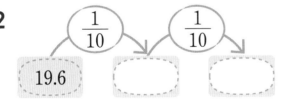

13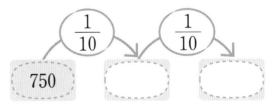

14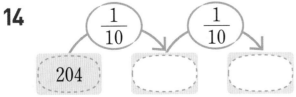

15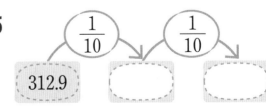

⊙ 3단계 소수

4. 소수 사이의 관계

🐙 다음이 나타내는 수를 구하세요.

1

17.3의 10배 ➡ (　　　　　)

2

5.2의 $\dfrac{1}{10}$ ➡ (　　　　　)

3

3.05의 10배 ➡ (　　　　　)

4

0.37의 $\dfrac{1}{10}$ ➡ (　　　　　)

5

0.054의 100배 ➡ (　　　　　)

6

9의 $\dfrac{1}{100}$ ➡ (　　　　　)

7

0.493의 100배 ➡ (　　　　　)

8

1.8의 $\dfrac{1}{100}$ ➡ (　　　　　)

9

0.094의 1000배 ➡ (　　　　　)

10

6의 $\dfrac{1}{1000}$ ➡ (　　　　　)

11

0.31의 1000배 ➡ (　　　　　)

12

820의 $\dfrac{1}{1000}$ ➡ (　　　　　)

🐙 나타내는 수가 나머지와 <u>다른</u> 하나를 찾아 색칠하세요.

13

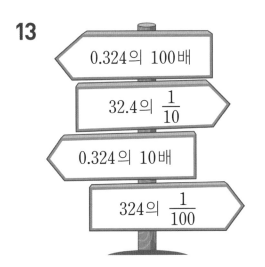

0.324의 100배

32.4의 $\frac{1}{10}$

0.324의 10배

324의 $\frac{1}{100}$

14

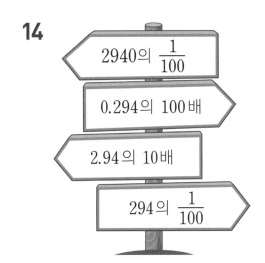

2940의 $\frac{1}{100}$

0.294의 100배

2.94의 10배

294의 $\frac{1}{100}$

15

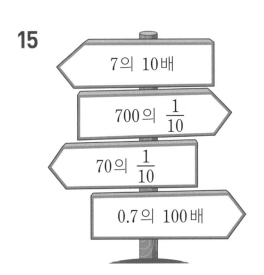

7의 10배

700의 $\frac{1}{10}$

70의 $\frac{1}{10}$

0.7의 100배

16

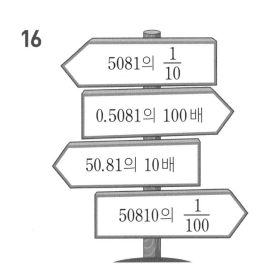

5081의 $\frac{1}{10}$

0.5081의 100배

50.81의 10배

50810의 $\frac{1}{100}$

💡 **생활 속 연산**

음료수 10병의 들이가 12.5 L일 때, 음료수 한 병의 들이는 몇 L인지 구하세요.

(   )

🎯 3단계 소수

마무리 연산

🐙 ☐ 안에 알맞은 소수를 써넣으세요.

1 0.01이 38개인 수 ➡ ☐

2 0.001이 423개인 수 ➡ ☐

3 0.01이 96개인 수 ➡ ☐

4 0.001이 2077개인 수 ➡ ☐

5 0.01이 153개인 수 ➡ ☐

6 0.001이 3258개인 수 ➡ ☐

7 0.01이 471개인 수 ➡ ☐

8 0.001이 4608개인 수 ➡ ☐

9 0.01이 524개인 수 ➡ ☐

10 0.001이 5802개인 수 ➡ ☐

11 0.01이 9047개인 수 ➡ ☐

12 0.001이 7625개인 수 ➡ ☐

13 0.01이 1023개인 수 ➡ ☐

14 0.001이 8963개인 수 ➡ ☐

🐙 밑줄 친 숫자가 나타내는 수를 쓰세요.

15

3.8<u>6</u>

(   )

16

5.3<u>1</u>4

(   )

17

4.<u>6</u>7

(   )

18

<u>6</u>.029

(   )

19

0.5<u>1</u>

(   )

20

8.72<u>3</u>

(   )

21

5.0<u>4</u>

(   )

22

0.<u>6</u>81

(   )

23

<u>7</u>.29

(   )

24

3.91<u>2</u>

(   )

3단계 소수

마무리 연산

두 수의 크기를 비교하여 ◯ 안에 >, =, <를 알맞게 써넣으세요.

1 1.04 ◯ 0.967

2 3.56 ◯ 4.08

3 3 ◯ 2.99

4 8.34 ◯ 8.62

5 6.147 ◯ 6.154

6 7.257 ◯ 7.319

7 9.37 ◯ 9.35

8 5.352 ◯ 5.4

9 3.749 ◯ 2.914

10 2.94 ◯ 2.940

11 7.3 ◯ 7.298

12 11.64 ◯ 15.18

13 10.54 ◯ 10.52

14 15.3 ◯ 14.994

🐙 다음이 나타내는 수를 구하세요.

15 53.7의 100배

(   )

16 0.7의 $\frac{1}{10}$

(   )

17 0.478의 10배

(   )

18 3.6의 $\frac{1}{100}$

(   )

19 0.962의 1000배

(   )

20 12.3의 $\frac{1}{100}$

(   )

21 2.674의 100배

(   )

22 36.8의 $\frac{1}{10}$

(   )

23 3.49의 10배

(   )

24 0.96의 $\frac{1}{10}$

(   )

학습 결과와 시간을 써 보세요!

학습 내용	학습 회차	맞힌 개수/걸린 시간
1. (소수 한 자리 수)+(소수 한 자리 수)	DAY 01	/
	DAY 02	/
	DAY 03	/
	DAY 04	/
	DAY 05	/
2. (소수 두 자리 수)+(소수 두 자리 수)	DAY 06	/
	DAY 07	/
	DAY 08	/
	DAY 09	/
	DAY 10	/
3. 자릿수가 다른 소수의 덧셈	DAY 11	/
	DAY 12	/
	DAY 13	/
	DAY 14	/
	DAY 15	/
마무리 연산	DAY 16	/
	DAY 17	/

◎ 4단계 소수의 덧셈

1. (소수 한 자리 수)+(소수 한 자리 수)

예 0.5+0.6의 계산

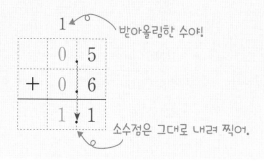

받아올림한 수야!

소수점은 그대로 내려 찍어.

소수 첫째 자리 수끼리의 합이
10이거나 10보다 크면
일의 자리로 받아올림하여 계산해!

🐙 계산을 하세요.

1

	0 . 2
+	0 . 4
	0 . 6

2

	0 . 1
+	0 . 8

3

	0 . 5
+	0 . 1

4

	0 . 1
+	0 . 4

5

	0 . 5
+	0 . 8

6

	0 . 3
+	0 . 9

7

	0 . 8
+	0 . 8

8

	0 . 6
+	0 . 7

9

	0 . 8
+	0 . 9

계산을 하세요.

10

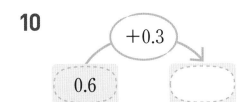

11

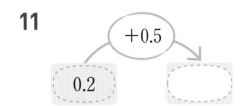

12

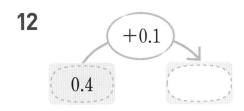

13

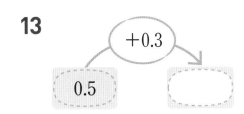

14

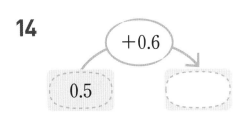

15

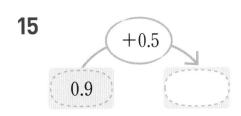

16

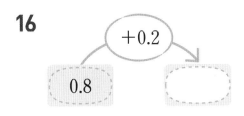

17

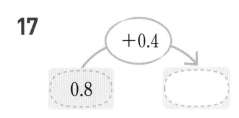

18

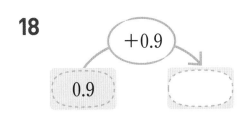

19

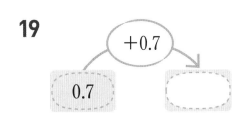

🎯 4단계 소수의 덧셈

1. (소수 한 자리 수)+(소수 한 자리 수)

🐙 계산을 하세요.

1 0.1+0.6

2 0.2+0.3

3 0.2+0.2

4 0.2+0.7

5 0.7+0.7

6 0.8+0.5

7 0.7+0.8

8 0.4+0.8

9 0.8+0.3

10 0.8+0.9

11 0.8+0.8

12 0.5+0.8

13 0.9+0.9

14 0.9+0.5

🐙 두 수의 합을 구하세요.

15
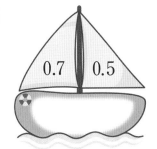

16
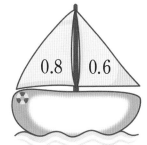

17

18
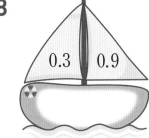

19
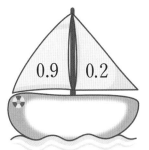

20
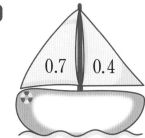

21
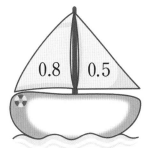

22
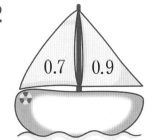

23
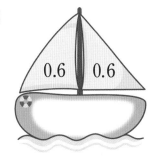

24
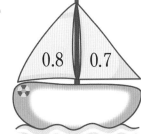

🎯 **4단계** 소수의 덧셈

1. (소수 한 자리 수)+(소수 한 자리 수)

예 1.9+4.3의 계산

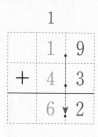

받아올림한 수도 잊지 말고 더해야 해.

🐙 계산을 하세요.

1

```
    1 . 1
  + 1 . 3
    2 . 4
```
→ 소수점을 그대로 내려 찍어.

2

```
    1 . 2
  + 2 . 4
```

3

```
    2 . 7
  + 3 . 1
```

4

```
    2 . 8
  + 2 . 9
```

5

```
    2 . 5
  + 3 . 6
```

6

```
    4 . 4
  + 3 . 8
```

7

```
    2 . 3
  + 4 . 8
```

8

```
    3 . 4
  + 3 . 9
```

9

```
    4 . 9
  + 1 . 6
```

🐙 계산을 하세요.

10
1.7 ➡ **+3.2** ➡ ⬜

11
2.3 ➡ **+6.5** ➡ ⬜

12
4.5 ➡ **+3.1** ➡ ⬜

13
6.2 ➡ **+2.2** ➡ ⬜

14
2.2 ➡ **+5.9** ➡ ⬜

15
2.6 ➡ **+3.7** ➡ ⬜

16
1.4 ➡ **+1.8** ➡ ⬜

17
6.7 ➡ **+2.7** ➡ ⬜

18
5.8 ➡ **+1.7** ➡ ⬜

19
2.8 ➡ **+5.3** ➡ ⬜

4단계 소수의 덧셈

1. (소수 한 자리 수)+(소수 한 자리 수)

🐙 계산을 하세요.

1 1.2+1.6

2 1.3+1.2

3 5.3+4.3

4 4.6+2.3

5 6.1+8.3

6 9.2+3.1

7 8.6+2.7

8 5.5+4.9

9 6.6+5.5

10 9.9+4.2

11 4.5+10.8

12 8.9+11.9

13 15.9+13.4

14 7.4+11.9

🐙 두 수의 합을 구하세요.

15

9.3   4.2

16

3.6   5.1

17

8.5   3.2

18

2.4   3.5

19

7.8   1.6

20

4.8   3.7

21

7.9   2.6

22

9.5   6.5

23

12.5   8.6

24

5.4   13.8

◎ 4단계 소수의 덧셈

1. (소수 한 자리 수)+(소수 한 자리 수)

🐙 계산을 하세요.

1 0.2+0.4

2 0.5+0.3

3 0.7+0.8

4 0.6+0.4

5 0.2+0.9

6 0.6+0.8

7 6.2+2.3

8 1.5+2.4

9 0.8+3.1

10 4.7+1.1

11 5.3+4.8

12 3.9+8.8

13 9.6+4.8

14 6.7+7.6

🐙 계산 결과가 더 큰 곳에 ○표 하세요.

15
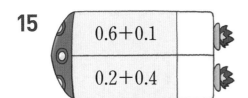
0.6+0.1

0.2+0.4

16
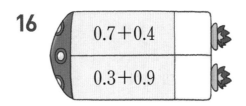
0.7+0.4

0.3+0.9

17
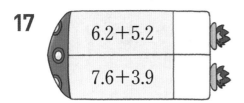
6.2+5.2

7.6+3.9

18
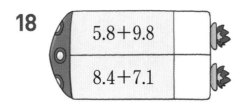
5.8+9.8

8.4+7.1

19
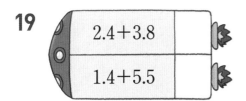
2.4+3.8

1.4+5.5

20
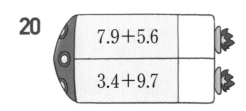
7.9+5.6

3.4+9.7

21
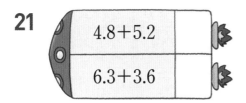
4.8+5.2

6.3+3.6

22
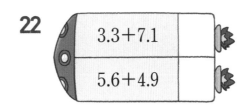
3.3+7.1

5.6+4.9

23
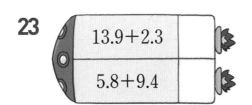
13.9+2.3

5.8+9.4

24
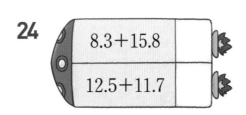
8.3+15.8

12.5+11.7

◎ 4단계 소수의 덧셈

2. (소수 두 자리 수)+(소수 두 자리 수)

예 0.54+0.98의 계산

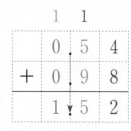

소수점끼리 맞추어 세로로 쓴 다음 같은 자리 수끼리 더해!

🐙 계산을 하세요.

1

```
    0 . 2 6
+   0 . 5 1
─────────────
    0 . 7 7
```

2

```
    0 . 8 3
+   0 . 1 2
─────────────
```

3

```
    0 . 3 4
+   0 . 6 4
─────────────
```

4

```
    0 . 5 3
+   0 . 2 5
─────────────
```

5

```
    0 . 6 4
+   0 . 1 7
─────────────
```

6

```
    0 . 3 3
+   0 . 2 8
─────────────
```

7

```
    0 . 7 3
+   0 . 5 6
─────────────
```

8

```
    0 . 3 3
+   0 . 6 8
─────────────
```

9

```
    0 . 5 6
+   0 . 7 5
─────────────
```

 계산을 하세요.

10

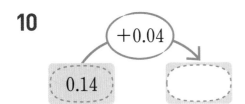

0.14   +0.04

11

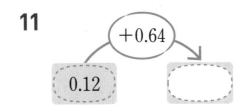

0.12   +0.64

12

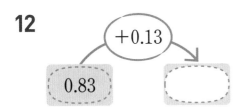

0.83   +0.13

13

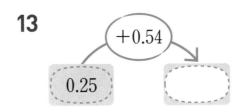

0.25   +0.54

14

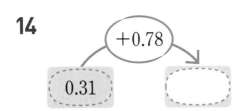

0.31   +0.78

15

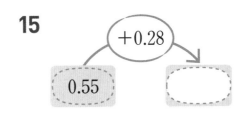

0.55   +0.28

16

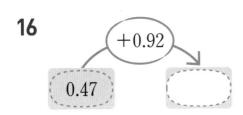

0.47   +0.92

17

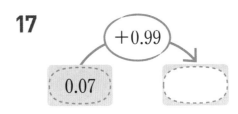

0.07   +0.99

18

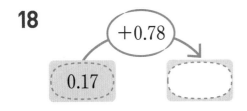

0.17   +0.78

19

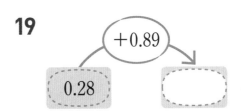

0.28   +0.89

2. (소수 두 자리 수)+(소수 두 자리 수)

계산을 하세요.

1 $0.85+0.97$

2 $0.69+0.84$

3 $0.47+0.14$

4 $0.63+0.62$

5 $0.96+0.37$

6 $0.57+0.54$

7 $0.68+0.75$

8 $0.94+0.56$

9 $0.83+0.19$

10 $0.32+0.99$

11 $0.58+0.95$

12 $0.77+0.93$

13 $0.45+0.79$

14 $0.38+0.89$

🐙 두 수의 합을 구하세요.

15

16

17

18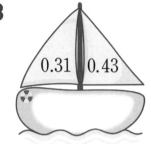

19

20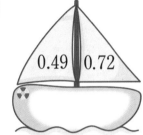

21

22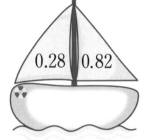

23

24

◎ 4단계 소수의 덧셈

2. (소수 두 자리 수)+(소수 두 자리 수)

예 2.69+3.84의 계산

```
    1   1
    2 . 6   9
+   3 . 8   4
─────────────
    6 . 5   3
```

자연수의 덧셈처럼 계산하고
소수점은 그대로 내려 찍어!

🐙 계산을 하세요.

1
```
    2 . 9   6
+   5 . 3   7
─────────────
    8 . 3   3
```

2
```
    4 . 5   7
+   3 . 5   4
─────────────
```

3
```
    8 . 6   2
+   6 . 9   1
─────────────
```

4
```
    4 . 6   8
+   9 . 7   5
─────────────
```

5
```
    7 . 9   4
+   4 . 1   6
─────────────
```

6
```
    1 . 4   5
+   9 . 7   9
─────────────
```

7
```
    5 . 8   3
+   4 . 1   9
─────────────
```

8
```
    8 . 3   2
+   3 . 9   9
─────────────
```

9
```
    6 . 5   8
+   3 . 9   5
─────────────
```

🐙 계산을 하세요.

10

3.26 ➡ **+5.68** ➡ ☐

11

0.45 ➡ **+2.83** ➡ ☐

12

1.72 ➡ **+7.33** ➡ ☐

13

2.29 ➡ **+1.34** ➡ ☐

14

9.45 ➡ **+3.12** ➡ ☐

15

4.21 ➡ **+0.29** ➡ ☐

16

8.56 ➡ **+1.27** ➡ ☐

17

5.22 ➡ **+2.94** ➡ ☐

18

0.63 ➡ **+4.44** ➡ ☐

19

2.57 ➡ **+3.16** ➡ ☐

◎ 4단계 소수의 덧셈

2. (소수 두 자리 수)+(소수 두 자리 수)

🐙 계산을 하세요.

1 0.48+0.21

2 0.72+0.54

3 1.86+0.74

4 4.38+2.96

5 0.52+4.19

6 3.18+2.94

7 7.58+0.63

8 1.58+3.91

9 6.84+2.19

10 6.72+5.37

11 2.68+7.54

12 2.57+9.93

13 3.18+9.56

14 4.46+9.73

🐙 두 수의 합을 구하세요.

15

16

17

18

19

20

21

22

23

24

4단계 소수의 덧셈

2. (소수 두 자리 수)+(소수 두 자리 수)

🐙 계산을 하세요.

1 4.65+2.71

2 0.67+4.75

3 3.25+1.73

4 8.96+0.74

5 2.38+6.93

6 8.22+0.59

7 5.84+6.28

8 1.38+5.95

9 6.09+6.36

10 3.48+4.31

11 2.64+9.78

12 4.72+6.33

13 9.26+4.36

14 7.24+8.32

🐙 털실 길이의 합을 구하세요.

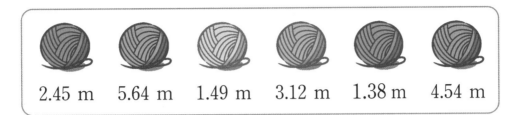

2.45 m　　5.64 m　　1.49 m　　3.12 m　　1.38 m　　4.54 m

15　2.45 m　1.49 m

(　3.94 m　)

털실 길이의 합을 구하는 식은
2.45+1.49야!

16

(　　　　　)

17

(　　　　　)

18

(　　　　　)

19

(　　　　　)

20

(　　　　　)

21

(　　　　　)

22

(　　　　　)

◎ 4단계 소수의 덧셈

3. 자릿수가 다른 소수의 덧셈

예 0.8+0.73의 계산

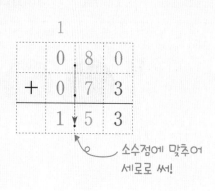

소수점에 맞추어
세로로 써!

오른쪽 끝자리 뒤에 0을 붙여
소수점끼리 맞추어 세로로 쓴 다음
같은 자리 수끼리 더해!

🐙 계산을 하세요.

1

	0	.	3	
+	0	.	2	5
	0	.	5	5

2

	0	.	6	
+	0	.	4	8

3

	1	.	6	
+	8	.	2	4

4

	2	.	7	
+	0	.	7	3

5

	4	.	9	
+	2	.	8	9

6

	6	.	2	
+	5	.	1	7

7

	6	.	5	
+	3	.	7	4

8

	3	.	7	
+	1	.	6	6

9

	3	.	5	
+	2	.	9	7

🐙 계산을 하세요.

10   0.4
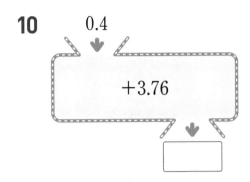
+3.76

11   2.4
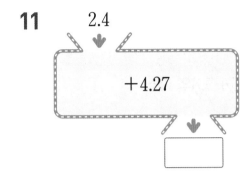
+4.27

12   7.2
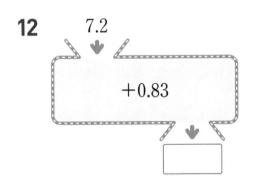
+0.83

13   6.1
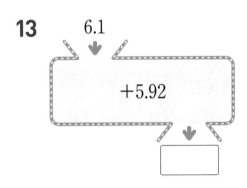
+5.92

14   3.2
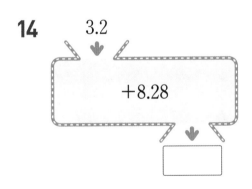
+8.28

15   9.2
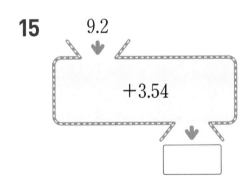
+3.54

16   2.5
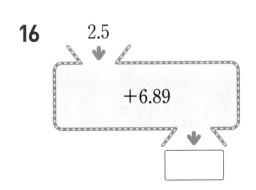
+6.89

17   5.7
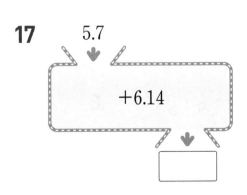
+6.14

◎ 4단계 소수의 덧셈

3. 자릿수가 다른 소수의 덧셈

예 0.46+5.8의 계산

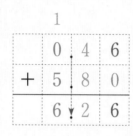

받아올림한 수도 잊지 말고 더해!

🐙 계산을 하세요.

1

```
    0 . 2 3
+   0 . 7
─────────────
    0 . 9 3
```

2

```
    2 . 4 3
+   0 . 8
─────────────
```

3

```
    0 . 8 4
+   0 . 8
─────────────
```

4

```
    1 . 7 2
+   6 . 4
─────────────
```

5

```
    5 . 1 8
+   4 . 5
─────────────
```

6

```
    1 . 4 6
+   7 . 9
─────────────
```

7

```
    3 . 9 5
+   8 . 7
─────────────
```

8

```
    7 . 0 4
+   5 . 1
─────────────
```

9

```
    4 . 6 3
+   9 . 5
─────────────
```

🐙 계산을 하세요.

10  7.74 　+0.9

11  3.92 　+4.4

12  9.23 　+5.6

13  8.94 　+2.5

14  3.08 　+8.3

15  6.55 　+6.5

16  5.16 　+2.7

17  0.37 　+5.8

18  2.63 　+7.4

19  4.24 　+23.2

20  5.92 　14.1

21  11.98 　+6.3

◎ 4단계 소수의 덧셈

3. 자릿수가 다른 소수의 덧셈

예 5+2.45의 계산

```
    5 . 0   0
+   2 . 4   5
    7 . 4   5
```

숫자 0으로 자연수를 소수로 나타낼 수 있어!
자연수 5는 소수 한 자리 수로 5.0,
소수 두 자리 수로 5.00이야!

🐙 계산을 하세요.

1
```
    2
+ 0 . 3
  2 . 3
```

2
```
    4
+ 2 . 5
```

3
```
  5 . 7
+ 6
```

4
```
    3
+ 2 . 9 7
```

5
```
    1
+ 3 . 2 8
```

6
```
  7 . 4 9
+ 2
```

7
```
    9
+ 5 . 5 8
```

8
```
    7
+ 4 . 7 6
```

9
```
    9
+ 6 . 0 4
```

🐙 두 수의 합을 구하세요.

10 4 　 2.5

(　　　　)

11 5 　 8.73

(　　　　　　)

12 3 　 0.7

(　　　　)

13 1 　 7.91

(　　　　　　)

14 5 　 3.6

(　　　　)

15 7 　 9.44

(　　　　　　)

16 7.9 　 3

(　　　　)

17 5.23 　 8

(　　　　　　)

18 2.9 　 4

(　　　　)

19 6.49 　 3

(　　　　　　)

3. 자릿수가 다른 소수의 덧셈

🐙 계산을 하세요.

1 5.1＋3.29

2 4.36＋9.6

3 4.9＋7.15

4 6.54＋15.7

5 2.6＋0.74

6 1.46＋7.9

7 7.8＋8.23

8 0.47＋4.7

9 9＋2.7

10 8＋5.63

11 8＋4.3

12 6＋7.62

13 14.8＋1

14 9.16＋9

🐙 두 수의 합을 구하세요.

15
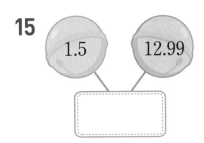

16
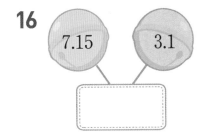

17
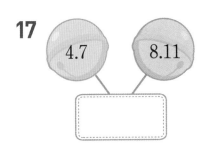

18
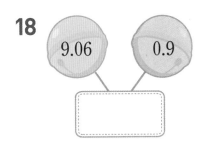

19
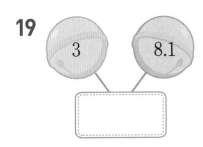

20
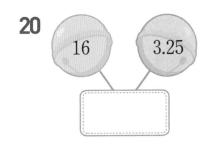

21
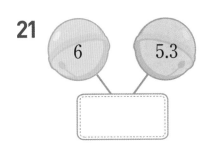

22
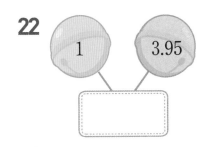

23
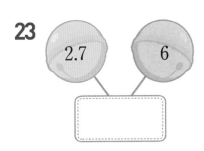

24
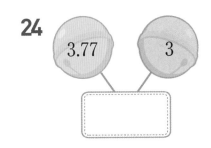

3. 자릿수가 다른 소수의 덧셈

🐙 계산을 하세요.

1 $2.5 + 4.24$

2 $3.82 + 1.6$

3 $3.8 + 0.54$

4 $1.93 + 7.6$

5 $6.4 + 7.29$

6 $2.88 + 9.7$

7 $9.7 + 0.62$

8 $3.95 + 8.5$

9 $7 + 6.3$

10 $5 + 5.81$

11 $4 + 8.7$

12 $5 + 9.68$

13 $5.2 + 4$

14 $8.76 + 11$

🐙 계산을 하세요.

15

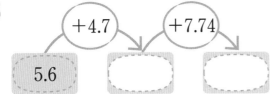

16

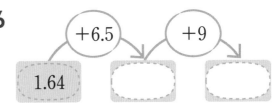

17

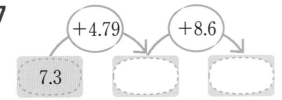

18

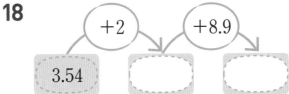

19

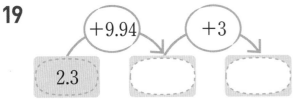

20

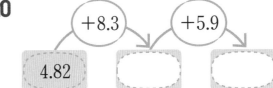

💡 **생활 속 연산**

피겨 스케이팅은 빙상 위에서 음악에 맞춰 스케이팅 기술을 선보이는 스케이팅 종목으로 기술 점수와 예술 점수의 합산으로 점수가 매겨집니다. 어느 피겨 스케이팅 선수가 기술 점수 78.32점, 예술 점수 71.7점을 받았다면 총점은 몇 점인지 구하세요.

(　　　　　　　　　)

◎ 4단계 소수의 덧셈

마무리 연산

🐙 계산을 하세요.

1

```
    0 . 8
+   0 . 4
─────────
```

2

```
    5 . 6
+   3 . 7
─────────
```

3

```
    6 . 5
+   1 . 8
─────────
```

4

```
    4 . 2
+   7 . 6
─────────
```

5

```
    9 . 8
+   5 . 8
─────────
```

6

```
    8 . 3
+   0 . 9
─────────
```

7

```
  2 . 6 3
+ 0 . 3 2
─────────
```

8

```
  7 . 4 8
+ 9 . 5 6
─────────
```

9

```
  4 . 9 5
+ 8 . 8 4
─────────
```

10

```
  5 . 0 6
+ 2 . 0 5
─────────
```

11

```
  1 . 8 2
+ 6 . 7 9
─────────
```

12

```
  3 . 5 4
+ 7 . 4 8
─────────
```

13

```
  8 . 6 2
+ 3 . 9 5
─────────
```

14

```
  2 . 3 9
+ 9 . 9 4
─────────
```

15

```
  9 . 7 4
+ 5 . 6 4
─────────
```

🐙 계산을 하세요.

16 $0.8+5.2$

17 $2.5+4.1$

18 $3.7+5.8$

19 $4.6+1.5$

20 $7.2+9.4$

21 $1.6+6.7$

22 $0.38+0.46$

23 $5.12+2.96$

24 $3.49+5.17$

25 $1.37+6.89$

26 $6.32+0.75$

27 $8.63+6.99$

28 $9.64+3.68$

29 $7.14+5.37$

◎ 4단계 소수의 덧셈

마무리 연산

🐙 계산을 하세요.

1
```
    4 . 9
+   2 . 8 2
```

2
```
    3 . 9
+   5 . 8 2
```

3
```
    5 . 3
+   6 . 7 4
```

4
```
    1 . 9
+   3 . 0 8
```

5
```
    1 . 6
+   9 . 3 4
```

6
```
    1 . 7
+   9 . 5 5
```

7
```
    5 . 1 1
+   6 . 4
```

8
```
    6 . 8 4
+   3 . 6
```

9
```
    7 . 2 7
+   8 . 9
```

10
```
    8 . 5 1
+   8 . 5
```

11
```
    2 . 6 3
+   7 . 8
```

12
```
    4 . 2 7
+   9 . 8
```

13
```
    6 . 5 8
+   1
```

14
```
    8
+   4 . 5
```

15
```
    5
+   3 . 7 7
```

🐙 계산을 하세요.

16 $6.4 + 7.16$

17 $5.72 + 3.8$

18 $9.4 + 1.38$

19 $2.29 + 6.9$

20 $7.9 + 0.26$

21 $6.95 + 1.7$

22 $2.7 + 4.55$

23 $0.53 + 2.8$

24 $4 + 7.5$

25 $9 + 3.64$

26 $5 + 8.3$

27 $5 + 4.52$

28 $9.6 + 4$

29 $11.57 + 6$

5

소수의 뺄셈

문제를 잘 읽고 요구하는 답이
무엇인지 꼼꼼히 살펴보자!

학습 결과와 시간을 써 보세요!

학습 내용	학습 회차	맞힌 개수/걸린 시간
1. (소수 한 자리 수)−(소수 한 자리 수)	DAY 01	/
	DAY 02	/
	DAY 03	/
	DAY 04	/
	DAY 05	/
2. (소수 두 자리 수)−(소수 두 자리 수)	DAY 06	/
	DAY 07	/
	DAY 08	/
	DAY 09	/
	DAY 10	/
3. 자릿수가 다른 소수의 뺄셈	DAY 11	/
	DAY 12	/
	DAY 13	/
	DAY 14	/
	DAY 15	/
	DAY 16	/
마무리 연산	DAY 17	/
	DAY 18	/

기초력 상승!

하나 둘!
하나 둘!

◎ 5단계 소수의 뺄셈

1. (소수 한 자리 수)−(소수 한 자리 수)

예 1.4−0.9의 계산

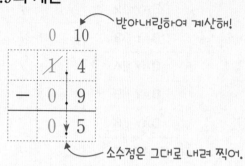

받아내림하여 계산해!

$$\begin{array}{r} 0 \quad 10 \\ \cancel{1}.4 \\ -\ 0.9 \\ \hline 0.5 \end{array}$$

소수점은 그대로 내려 찍어.

소수 첫째 자리 수끼리 뺄 수 없을 때에는 일의 자리에서 받아내림하여 계산해!

1
$$\begin{array}{r} 0.8 \\ -\ 0.3 \\ \hline 0.5 \end{array}$$

2
$$\begin{array}{r} 0.4 \\ -\ 0.1 \\ \hline \end{array}$$

3
$$\begin{array}{r} 0.9 \\ -\ 0.5 \\ \hline \end{array}$$

4
$$\begin{array}{r} 1.6 \\ -\ 0.7 \\ \hline \end{array}$$

5
$$\begin{array}{r} 1.4 \\ -\ 0.8 \\ \hline \end{array}$$

6
$$\begin{array}{r} 1.5 \\ -\ 0.9 \\ \hline \end{array}$$

7
$$\begin{array}{r} 1.7 \\ -\ 0.9 \\ \hline \end{array}$$

8
$$\begin{array}{r} 1.5 \\ -\ 0.6 \\ \hline \end{array}$$

9
$$\begin{array}{r} 1.3 \\ -\ 0.8 \\ \hline \end{array}$$

🐙 계산을 하세요.

10

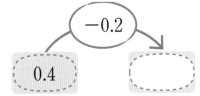

−0.2

0.4

11

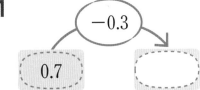

−0.3

0.7

12

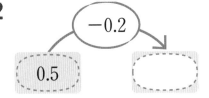

−0.2

0.5

13

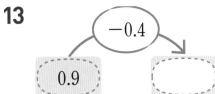

−0.4

0.9

14

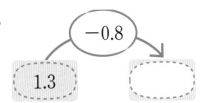

−0.8

1.3

15

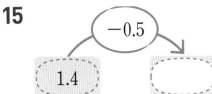

−0.5

1.4

16

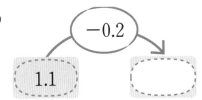

−0.2

1.1

17

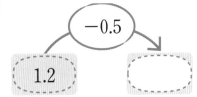

−0.5

1.2

18

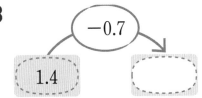

−0.7

1.4

19

−0.6

1.4

⊙5단계 소수의 뺄셈

1. (소수 한 자리 수)−(소수 한 자리 수)

🐙 계산을 하세요.

1 0.9−0.2

2 0.7−0.4

3 0.8−0.5

4 0.9−0.5

5 0.5−0.2

6 0.6−0.1

7 1.2−0.5

8 1.3−0.4

9 1.8−0.9

10 1.6−0.9

11 1.4−0.7

12 1.5−0.6

13 1.6−0.8

14 1.1−0.3

🐙 계산을 하세요.

15

16

17

18

19 1.3 → −0.9 →

20

21 1.1 → −0.9 →

22

23 1.3 → −0.8 →

24

25 1.5 → −0.9 →

26

◎5단계 소수의 뺄셈

1. (소수 한 자리 수)−(소수 한 자리 수)

예 9.2−7.5의 계산

받아내림에 주의하여
계산해!

🐙 계산을 하세요.

1

$$
\begin{array}{r}
4\,.\,7 \\
-\ 3\,.\,5 \\
\hline
1\,.\,2
\end{array}
$$

2

$$
\begin{array}{r}
7\,.\,8 \\
-\ 5\,.\,1 \\
\hline
\end{array}
$$

3

$$
\begin{array}{r}
3\,.\,4 \\
-\ 1\,.\,2 \\
\hline
\end{array}
$$

4

$$
\begin{array}{r}
9\,.\,8 \\
-\ 3\,.\,2 \\
\hline
\end{array}
$$

5

$$
\begin{array}{r}
8\,.\,3 \\
-\ 4\,.\,7 \\
\hline
\end{array}
$$

6

$$
\begin{array}{r}
6\,.\,2 \\
-\ 1\,.\,8 \\
\hline
\end{array}
$$

7

$$
\begin{array}{r}
5\,.\,7 \\
-\ 1\,.\,8 \\
\hline
\end{array}
$$

8

$$
\begin{array}{r}
8\,.\,1 \\
-\ 5\,.\,6 \\
\hline
\end{array}
$$

9

$$
\begin{array}{r}
7\,.\,3 \\
-\ 2\,.\,9 \\
\hline
\end{array}
$$

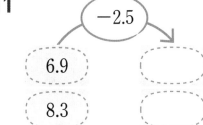

🐙 계산을 하세요.

10

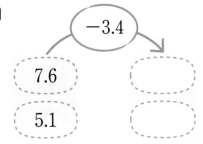

−3.4

7.6

5.1

11

−2.5

6.9

8.3

12

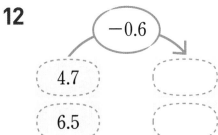

−0.6

4.7

6.5

13

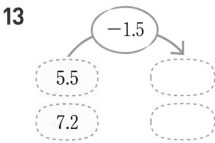

−1.5

5.5

7.2

14

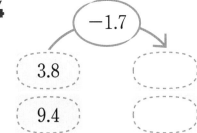

−1.7

3.8

9.4

15

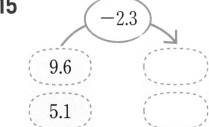

−2.3

9.6

5.1

16

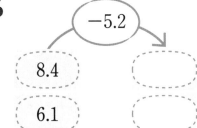

−5.2

8.4

6.1

17

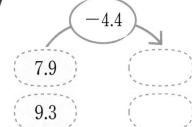

−4.4

7.9

9.3

18

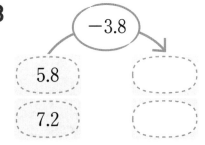

−3.8

5.8

7.2

19

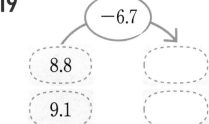

−6.7

8.8

9.1

◎ 5단계 소수의 뺄셈

1. (소수 한 자리 수)−(소수 한 자리 수)

🐙 계산을 하세요.

1 3.8−1.5

2 9.5−7.4

3 5.9−1.3

4 6.9−2.2

5 4.1−1.6

6 7.6−6.9

7 9.4−3.6

8 5.6−1.7

9 3.3−1.9

10 8.1−6.7

11 9.2−5.4

12 7.4−1.8

13 4.4−0.9

14 5.3−3.5

🐙 계산 결과를 찾아 선으로 이으세요.

15

| 6.7−3.2 |
| 7.8−3.1 |

3.5
4.7
5.2

16

| 8.3−2.6 |
| 4.6−0.8 |

6.2
5.7
3.8

17

| 4.1−0.5 |
| 8.4−5.8 |

2.6
3.6
4.6

18

| 3.2−1.6 |
| 6.2−3.5 |

2.7
2.3
1.6

19

| 9.8−4.5 |
| 7.5−3.9 |

5.3
4.1
3.6

20

| 5.4−1.8 |
| 9.7−4.9 |

3.6
4.8
5.4

21

| 9.3−5.7 |
| 8.5−2.3 |

6.6
6.2
3.6

22

| 5.8−1.9 |
| 7.4−2.7 |

4.7
3.9
3.5

1. (소수 한 자리 수)−(소수 한 자리 수)

🐙 계산을 하세요.

1 $3.9-0.4$

2 $5.8-1.4$

3 $6.7-1.1$

4 $8.9-3.4$

5 $5.1-4.6$

6 $9.3-5.7$

7 $3.8-0.9$

8 $7.2-5.5$

9 $6.5-2.7$

10 $5.3-1.7$

11 $9.4-5.9$

12 $4.3-2.7$

13 $8.2-7.6$

14 $7.1-1.4$

🐙 어제보다 오늘 역기를 몇 kg 더 많이 들었는지 구하세요.

15
어제는 5.8 kg 들었고
오늘은 9.6 kg 들었어.

(　　　　　　　　　　)

16
어제는 1.9 kg 들었고
오늘은 3.5 kg 들었어.

(　　　　　　　　　　)

17
어제는 4.9 kg 들었고
오늘은 9.1 kg 들었어.

(　　　　　　　　　　)

18
어제는 2.6 kg 들었고
오늘은 4.1 kg 들었어.

(　　　　　　　　　　)

19
어제는 7.5 kg 들었고
오늘은 11.2 kg 들었어.

(　　　　　　　　　　)

20
어제는 3.7 kg 들었고
오늘은 8.4 kg 들었어.

(　　　　　　　　　　)

💡 **생활 속 연산**

고양이 사료 5.2 kg 중 경준이네 고양이가 지난달 먹은 사료의 양은 1.5 kg입니다. 남은 사료의 양은 몇 kg인지 구하세요.

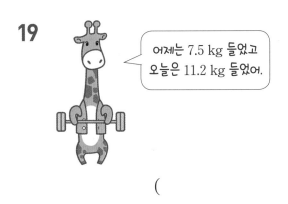

(　　　　　　　　　　)

◎5단계 소수의 뺄셈

2. (소수 두 자리 수)－(소수 두 자리 수)

예 1.25－0.87의 계산

```
    0  11 10
    X . 2  5
  - 0 . 8  7
  ─────────
    0 . 3  8
```

소수점끼리 맞추어 세로로 쓴 다음
같은 자리 수끼리 빼!

🐙 계산을 하세요.

1

```
  0 . 6  8
- 0 . 1  2
─────────
  0 . 5  6
```

2

```
  0 . 9  3
- 0 . 7  1
─────────
```

3

```
  0 . 5  7
- 0 . 2  6
─────────
```

4

```
  0 . 3  9
- 0 . 2  5
─────────
```

5

```
  0 . 8  1
- 0 . 6  2
─────────
```

6

```
  0 . 8  6
- 0 . 5  8
─────────
```

7

```
  1 . 3  5
- 0 . 7  2
─────────
```

8

```
  1 . 6  6
- 0 . 7  3
─────────
```

9

```
  1 . 1  7
- 0 . 2  4
─────────
```

🐙 계산을 하세요.

10

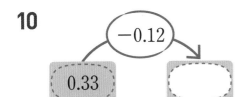

11

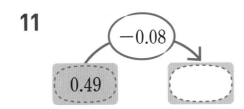

12

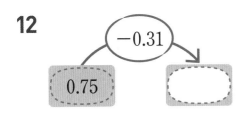

13

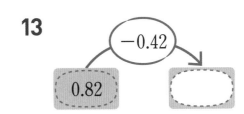

14

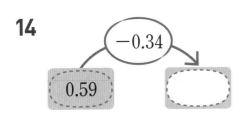

15

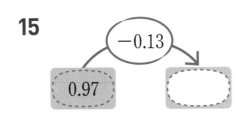

16

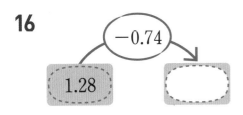

17

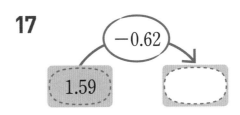

18

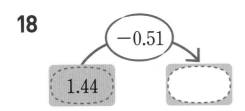

19

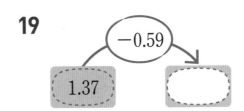

2. (소수 두 자리 수)─(소수 두 자리 수)

🐙 계산을 하세요.

1 0.46─0.18

2 0.93─0.29

3 0.52─0.37

4 0.71─0.48

5 0.15─0.06

6 0.64─0.19

7 1.27─0.53

8 1.69─0.82

9 1.58─0.67

10 1.73─0.91

11 1.65─0.94

12 1.37─0.52

13 1.29─0.93

14 1.43─0.72

🐙 계산을 하세요.

15 0.35 → −0.21 → ⬭

16 0.85 → −0.34 → ⬭

17 0.72 → −0.29 → ⬭

18 0.49 → −0.14 → ⬭

19 1.64 → −0.81 → ⬭

20 1.34 → −0.54 → ⬭

21 1.56 → −0.75 → ⬭

22 1.35 → −0.59 → ⬭

23 1.54 → −0.97 → ⬭

24 1.74 → −0.89 → ⬭

25 1.45 → −0.72 → ⬭

26 1.67 → −0.97 → ⬭

◎ 5단계 소수의 뺄셈

2. (소수 두 자리 수)−(소수 두 자리 수)

예 8.64−2.85의 계산

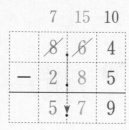

```
    7  15 10
   8 . 6  4
 − 2 . 8  5
   5 . 7  9
```

자연수의 뺄셈처럼 계산하고
소수점은 그대로 내려 찍어!

🐙 계산을 하세요.

1
```
   9 . 2 4
 − 3 . 8 7
   5 . 3 7
```

2
```
   3 . 5 1
 − 2 . 7 9
```

3
```
   7 . 8 6
 − 2 . 9 8
```

4
```
   6 . 7 3
 − 1 . 9 9
```

5
```
   8 . 0 2
 − 4 . 6 4
```

6
```
   5 . 5 5
 − 3 . 6 6
```

7
```
   2 . 6 1
 − 0 . 9 6
```

8
```
   9 . 3 6
 − 5 . 8 7
```

9
```
   4 . 8 5
 − 1 . 8 9
```

🐙 계산을 하세요.

10
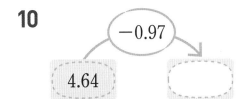

11
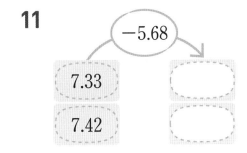

12
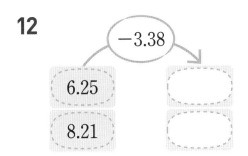

13
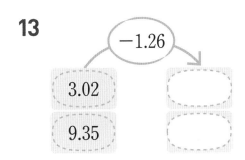

14
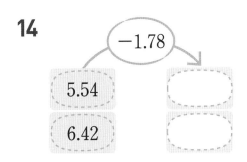

15
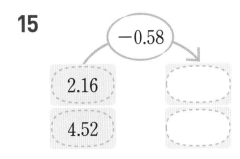

16
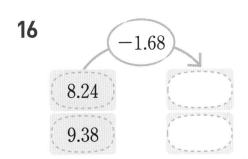

17
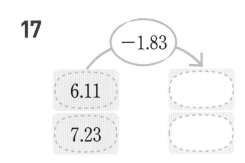

5단계 소수의 뺄셈

2. (소수 두 자리 수)−(소수 두 자리 수)

🐙 계산을 하세요.

1 2.67−0.14

2 4.19−2.58

3 6.34−5.19

4 7.72−4.85

5 5.95−0.88

6 8.49−5.17

7 9.83−7.94

8 6.29−1.63

9 8.53−1.73

10 7.72−6.29

11 5.52−2.18

12 9.24−5.76

13 8.52−1.57

14 6.36−4.95

🐙 계산 결과를 찾아 선으로 이으세요.

15

4.65−3.49

7.06−6.37

0.54

0.69

1.16

16

5.82−5.44

6.76−2.59

4.17

2.54

0.38

17

7.35−1.58

9.53−2.64

5.77

6.29

6.89

18

5.31−1.52

8.49−3.62

2.91

3.79

4.87

19

9.12−6.33

6.48−4.72

1.76

2.79

3.41

20

2.84−0.86

4.11−3.58

0.46

0.53

1.98

21

1.37−0.69

4.15−0.48

3.67

2.68

0.68

22

8.64−2.85

7.08−5.59

5.79

1.49

8.39

2. (소수 두 자리 수)−(소수 두 자리 수)

 계산을 하세요.

1 5.74−1.62

2 9.18−3.54

3 7.53−2.95

4 6.04−0.92

5 8.61−1.76

6 5.93−3.09

7 6.33−5.17

8 7.85−5.92

9 9.92−8.35

10 8.24−4.56

11 7.12−6.84

12 4.36−0.73

13 4.27−3.29

14 5.45−2.18

더 큰 수에 ○표 하세요.

15
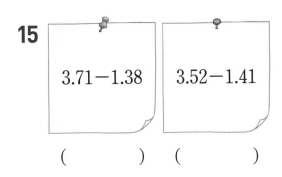

(   )   (   )

16
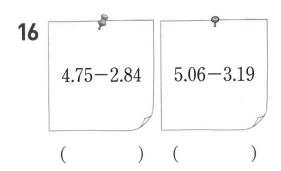

(   )   (   )

17
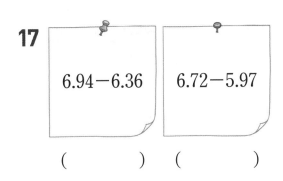

(   )   (   )

18
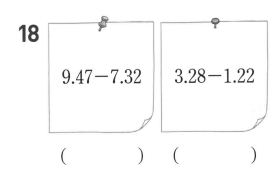

(   )   (   )

19
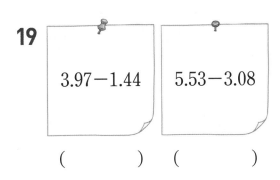

(   )   (   )

20
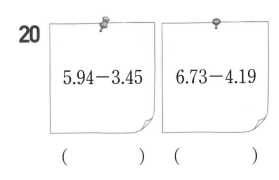

(   )   (   )

21
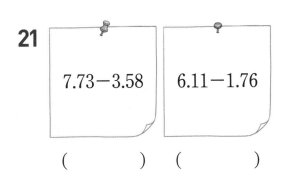

(   )   (   )

22
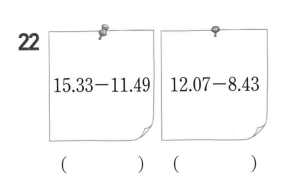

(   )   (   )

3. 자릿수가 다른 소수의 뺄셈

예 3.46−1.5의 계산

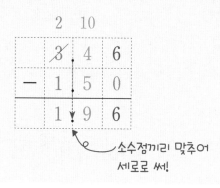

오른쪽 끝자리 뒤에 0을 붙이고,
소수점끼리 맞추어 세로로 쓴 다음
같은 자리 수끼리 빼!

소수점끼리 맞추어
세로로 써!

🐙 계산을 하세요.

1

	0	.	5	3
−	0	.	2	
	0	.	3	3

2

	2	.	6	4
−	0	.	5	

3

	5	.	1	9
−	3	.	8	

4

	7	.	4	7
−	1	.	9	

5

	3	.	2	2
−	2	.	6	

6

	8	.	7	1
−	5	.	3	

7

	6	.	9	5
−	5	.	9	

8

	9	.	5	8
−	6	.	7	

9

	4	.	3	6
−	2	.	5	

계산을 하세요.

10 2.59 ↓
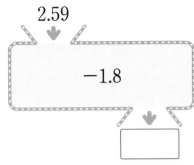
−1.8

11 4.68 ↓
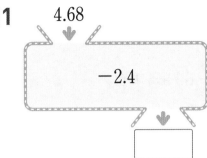
−2.4

12 7.62 ↓
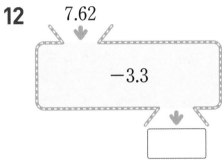
−3.3

13 9.73 ↓
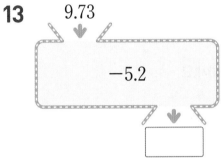
−5.2

14 8.26 ↓
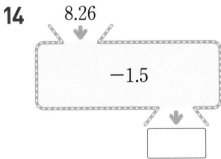
−1.5

15 5.81 ↓
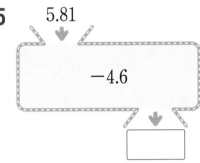
−4.6

16 4.35 ↓
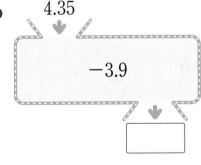
−3.9

17 7.07 ↓
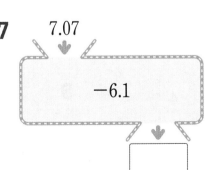
−6.1

◎ 5단계 소수의 뺄셈

3. 자릿수가 다른 소수의 뺄셈

예 8.5－6.75의 계산

```
      7  14  10
    8 . 5   0
  － 6 . 7   5
    1   7   5
```

받아내림에 주의하여 계산해!

🐙 계산을 하세요.

1
```
    0 . 9
  － 0 . 2 9
    0 . 6 1
```

2
```
    9 . 5
  － 4 . 1 4
```

3
```
    5 . 7
  － 4 . 5 6
```

4
```
    6 . 3
  － 0 . 7 2
```

5
```
    8 . 6
  － 2 . 9 3
```

6
```
    2 . 1
  － 1 . 0 8
```

7
```
    7 . 4
  － 6 . 8 1
```

8
```
    4 . 8
  － 1 . 3 7
```

9
```
    3 . 2
  － 1 . 1 5
```

🐙 계산을 하세요.

10　

11　

12　

13　

14　

15　

16　

17　

18　

19　

20　

21　

◎5단계 소수의 뺄셈

3. 자릿수가 다른 소수의 뺄셈

예 9-7.16의 계산

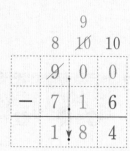

숫자 0으로 자연수를 소수로 나타낼 수 있어.
자연수 9는 소수 한 자리 수로 9.0,
소수 두 자리 수로 9.00이야.

🐙 계산을 하세요.

1

	1	
−	0 . 5
	0 . 5

2

	2	
−	1 . 3

3

	5	
−	3 . 4

4

	1 2	
−	5 . 9

5

	3	
−	0 . 4 8

6

	7	
−	2 . 5 7

7

	8	
−	5 . 8 3

8

	4	
−	1 . 9 2

9

	8	
−	5 . 5 8

두 수의 차를 구하세요.

10 2 0.4

11 8 3.54

12 5 4.8

13 6 4.15

14 9 2.7

15 11 9.71

16 7 4.6

17 13 8.37

18 15 5.5

19 17 9.71

20 12 4.6

21 19 13.37

◎ 5단계 소수의 뺄셈

3. 자릿수가 다른 소수의 뺄셈

 계산을 하세요.

1 $5.24-1.7$

2 $3.8-2.45$

3 $4.63-2.5$

4 $8.6-0.43$

5 $6.35-3.7$

6 $5.2-2.79$

7 $10.56-4.8$

8 $7.42-6.8$

9 $7-3.1$

10 $9-5.82$

11 $6-1.9$

12 $6-1.93$

13 $13-4.6$

14 $4-1.66$

🐙 두 수의 차를 구하세요.

15
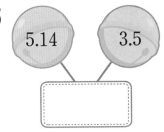

16
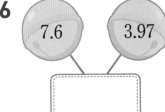

17
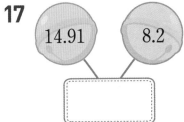

18
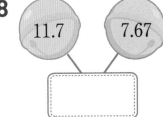

19
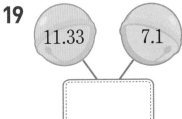

20
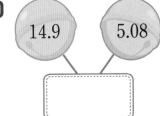

21
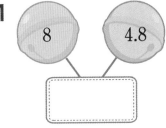

22
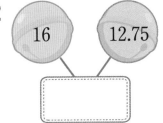

23
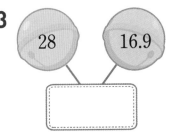

24
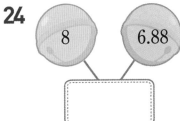

3. 자릿수가 다른 소수의 뺄셈

🐙 계산을 하세요.

1 6.83−4.3

2 2.3−1.74

3 5.72−1.9

4 9.1−3.56

5 4.64−2.7

6 7.4−4.91

7 3.36−1.5

8 19.7−6.83

9 3−2.2

10 5−3.77

11 8−5.3

12 6−0.04

13 24−18.6

14 8−3.92

15 계산 결과를 따라 선으로 이어 강아지가 도착하는 곳에 ◯표 하세요.

3. 자릿수가 다른 소수의 뺄셈

🐙 계산을 하세요.

1 6.49−4.8

2 7.6−6.17

3 9.14−3.6

4 6.8−1.19

5 5.32−1.6

6 8.2−4.92

7 7.08−2.5

8 10.8−3.64

9 6−2.4

10 5−1.08

11 8−5.8

12 9−1.59

13 13−6.3

14 14−9.15

계산을 하세요.

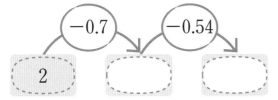

15 2 → −0.7 → ☐ → −0.54 → ☐

16 8 → −4.29 → ☐ → −2.8 → ☐

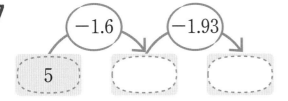

17 5 → −1.6 → ☐ → −1.93 → ☐

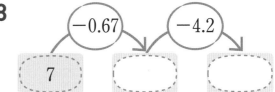

18 7 → −0.67 → ☐ → −4.2 → ☐

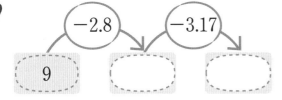

19 9 → −2.8 → ☐ → −3.17 → ☐

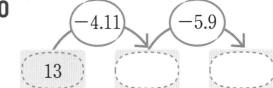

20 13 → −4.11 → ☐ → −5.9 → ☐

💡 생활 속 연산

서준이네 가족이 제주도 여행에서 가고 싶은 올레길 코스를 적은 표입니다. 표에서 가장 긴 코스와 가장 짧은 코스의 구간의 길이의 차는 몇 km인지 구하세요.

코스	구간	거리
2코스	광치기~온평	15.2 km
4코스	표선~남원	19 km
5코스	남원~쇠소깍	13.4 km
7코스	서귀포~월평	17.6 km

(   )

5단계 소수의 뺄셈

마무리 연산

🐙 계산을 하세요.

1
```
    0 . 9
  - 0 . 2
```

2
```
    1 . 2
  - 0 . 7
```

3
```
    4 . 3
  - 1 . 1
```

4
```
    5 . 1
  - 4 . 8
```

5
```
    8 . 7
  - 2 . 5
```

6
```
    6 . 4
  - 1 . 5
```

7
```
    0 . 7 2
  - 0 . 5 4
```

8
```
    1 . 5 8
  - 0 . 9 3
```

9
```
    5 . 3 8
  - 1 . 3 9
```

10
```
    4 . 7 1
  - 3 . 4 5
```

11
```
    7 . 6 4
  - 2 . 4 2
```

12
```
    8 . 0 3
  - 6 . 4 6
```

13
```
    3 . 1 9
  - 0 . 2 4
```

14
```
    6 . 2 7
  - 5 . 1 9
```

15
```
    9 . 4 6
  - 2 . 7 8
```

🐙 계산을 하세요.

16 $6.7-1.5$

17 $9.2-5.4$

18 $7.4-4.9$

19 $3.7-1.8$

20 $5.8-2.6$

21 $13.4-12.5$

22 $1.22-0.53$

23 $3.81-1.75$

24 $8.64-5.13$

25 $4.98-1.99$

26 $2.73-1.87$

27 $9.35-7.14$

28 $7.23-6.08$

29 $7.67-6.07$

🐙 계산을 하세요.

마무리 연산

 계산을 하세요.

1
```
    7 . 3 3
  - 5 . 9
```

2
```
    6 . 5 2
  - 4 . 7
```

3
```
    5 . 9 4
  - 1 . 8
```

4
```
    4 . 1
  - 0 . 8 3
```

5
```
    9 . 6
  - 5 . 2 7
```

6
```
    3 . 6
  - 1 . 6 4
```

7
```
    9
  - 5 . 3
```

8
```
    7
  - 3 . 6
```

9
```
    8
  - 2 . 5
```

10
```
    8
  - 4 . 4 9
```

11
```
    4
  - 2 . 7 4
```

12
```
    6
  - 1 . 3 9
```

13
```
    2 1
  - 1 8 . 4 8
```

14
```
    1 3
  -   8 . 5 3
```

15
```
    3 0
  - 2 3 . 9 6
```

🐙 계산을 하세요.

16 $3.58 - 2.8$

17 $5.6 - 4.35$

18 $9.26 - 4.7$

19 $9.2 - 1.74$

20 $4.34 - 3.6$

21 $7.8 - 6.47$

22 $8.03 - 2.3$

23 $16.5 - 9.14$

24 $14 - 8.6$

25 $7 - 4.19$

26 $13 - 4.82$

27 $10 - 5.42$

28 $15 - 2.4$

29 $24 - 19.55$

MEMO

힘수 연산으로 **수학** 기초 체력 UP!

이제 정답을
확인하러 가 볼까?

힘이 붙는 **수학** 연산

정답

초등 4B

힘이 붙는 **수학** 연산

금성출판사

차례

정답

초등 4B

하나 둘! 하나 둘!

🎯 1단계 분수의 덧셈

DAY 01
8~9쪽

1. 분모가 같은 진분수의 덧셈

1 1, 2, 3   **2** 2, 2, 4   **3** 4, 1, 5

4 3, 4, 7   **5** 5, 2, 7   **6** 3, 6, 9

7 4, 5, 9   **8** 6, 2, 8   **9** $\dfrac{8}{9}$

10 $\dfrac{6}{7}$ **11** $\dfrac{7}{8}$ **12** $\dfrac{7}{15}$

13 $\dfrac{9}{11}$ **14** $\dfrac{11}{14}$ **15** $\dfrac{2}{3}$

16 $\dfrac{3}{5}$ **17** $\dfrac{11}{12}$ **18** $\dfrac{7}{10}$

DAY 02
10~11쪽

1. 분모가 같은 진분수의 덧셈

1 1   **2** $1\dfrac{1}{5}$ **3** $1\dfrac{2}{7}$

4 $1\dfrac{3}{8}$ **5** $1\dfrac{1}{10}$ **6** $1\dfrac{7}{11}$

7 $1\dfrac{5}{12}$ **8** $1\dfrac{2}{13}$ **9** $1\dfrac{5}{14}$

10 $1\dfrac{4}{15}$ **11** $1\dfrac{1}{16}$ **12** $1\dfrac{5}{18}$

13 $1\dfrac{4}{19}$ **14** $1\dfrac{3}{20}$ **15** $1\dfrac{2}{9}$

16 $1\dfrac{7}{10}$ **17** $1\dfrac{1}{6}$ **18** $1\dfrac{3}{11}$

19 $1\dfrac{2}{7}$ **20** $1\dfrac{5}{8}$ **21** $1\dfrac{7}{13}$

22 $1\dfrac{3}{16}$ **23** $1\dfrac{4}{15}$ **24** $1\dfrac{6}{17}$

DAY 03
12~13쪽

1. 분모가 같은 진분수의 덧셈

1 1   **2** $\dfrac{5}{6}$ **3** $\dfrac{9}{13}$

4 $\dfrac{13}{20}$ **5** $\dfrac{13}{14}$ **6** $\dfrac{7}{8}$

7 $1\dfrac{5}{12}$ **8** $\dfrac{9}{11}$ **9** $1\dfrac{4}{15}$

10 1   **11** $1\dfrac{7}{10}$ **12** $1\dfrac{1}{7}$

13 $1\dfrac{4}{13}$ **14** $1\dfrac{5}{16}$ **15** $1\dfrac{5}{8}$ mL

16 $1\dfrac{4}{9}$ mL   **17** $1\dfrac{6}{11}$ mL   **18** $1\dfrac{1}{4}$ mL

19 1 mL   **20** $1\dfrac{1}{12}$ mL   **21** $\dfrac{11}{15}$ mL

22 $\dfrac{12}{17}$ mL

DAY 04　　　　　14~15쪽

1. 분모가 같은 진분수의 덧셈

1 1　　**2** $\dfrac{13}{14}$　　**3** $\dfrac{10}{13}$

4 $\dfrac{5}{9}$　　**5** $1\dfrac{5}{8}$　　**6** $1\dfrac{3}{10}$

7 $\dfrac{10}{11}$　　**8** $1\dfrac{5}{12}$　　**9** $1\dfrac{1}{7}$

10 $1\dfrac{1}{6}$　　**11** $1\dfrac{3}{8}$　　**12** $1\dfrac{3}{16}$

13 $1\dfrac{5}{19}$　　**14** $1\dfrac{7}{15}$　　**15** $1\dfrac{2}{5}$

16 $1\dfrac{1}{13}$　　**17** $\dfrac{7}{9}$　　**18** $1\dfrac{1}{11}$

19 $\dfrac{13}{16}$　　**20** $1\dfrac{3}{10}$　　**21** $1\dfrac{11}{18}$

22 $\dfrac{6}{7}$　　**23** $1\dfrac{7}{12}$　　**24** $1\dfrac{3}{8}$

생활 속 연산　$1\dfrac{4}{9}$ m

DAY 05　　　　　16~17쪽

2. 분모가 같은 대분수의 덧셈

1 1, 1, 3, 4, 3, 4　　**2** 3, 4, 7, 7, 7, 7

3 3, 2, 4, 8, 4, 8　　**4** 3, 6, 4, 11, 4, 1, 4, 5, 4

5 $7\dfrac{5}{6}$　　**6** $5\dfrac{9}{14}$　　**7** $3\dfrac{5}{8}$

8 $9\dfrac{4}{5}$　　**9** $4\dfrac{2}{11}$　　**10** $8\dfrac{2}{7}$

11 $6\dfrac{5}{13}$　　**12** $5\dfrac{3}{10}$　　**13** $7\dfrac{1}{9}$

14 $8\dfrac{2}{17}$

DAY 06　　　　　18~19쪽

2. 분모가 같은 대분수의 덧셈

1 5, 13, 4, 1　　**2** 18, 51, 7, 2　　**3** 27, 66, 6, 6

4 31, 53, 4, 1　　**5** 54, 123, 6, 3

6 $4\dfrac{1}{6}$　　**7** $7\dfrac{3}{11}$　　**8** $4\dfrac{8}{13}$

9 12　　**10** $6\dfrac{4}{9}$　　**11** $6\dfrac{2}{7}$

12 8　　**13** $6\dfrac{1}{5}$　　**14** $5\dfrac{4}{15}$

15 $5\dfrac{2}{7}$　　**16** $7\dfrac{10}{21}$　　**17** $9\dfrac{7}{10}$

DAY 07　　　　　20~21쪽

2. 분모가 같은 대분수의 덧셈

1 $4\dfrac{3}{4}$　　**2** $3\dfrac{2}{3}$　　**3** $5\dfrac{7}{8}$

4 $5\dfrac{4}{15}$　　**5** $4\dfrac{7}{8}$　　**6** $5\dfrac{7}{12}$

7 $5\dfrac{12}{13}$　　**8** $5\dfrac{1}{10}$　　**9** $3\dfrac{8}{9}$

10 $6\dfrac{10}{11}$　　**11** $3\dfrac{5}{14}$　　**12** $7\dfrac{4}{7}$

13 $4\dfrac{3}{16}$　　**14** $4\dfrac{5}{19}$　　**15** $5\dfrac{10}{13}$

16 $6\dfrac{3}{13}$　　**17** $3\dfrac{5}{13}$　　**18** $7\dfrac{1}{13}$

19 $5\dfrac{2}{13}$　　**20** $3\dfrac{2}{13}$　　**21** $6\dfrac{6}{13}$

22 $4\dfrac{3}{13}$

2. 분모가 같은 대분수의 덧셈

1 4

2 5

3 $6\frac{1}{4}$

4 $5\frac{2}{5}$

5 $5\frac{5}{7}$

6 $3\frac{4}{9}$

7 $5\frac{3}{8}$

8 $6\frac{10}{11}$

9 $8\frac{3}{11}$

10 $7\frac{7}{10}$

11 $9\frac{9}{13}$

12 $8\frac{8}{15}$

13 $6\frac{1}{19}$

14 5

15 $5\frac{2}{7}$, 4

16 $3\frac{10}{11}$, $6\frac{4}{11}$

17 $8\frac{1}{6}$, 5

18 $3\frac{8}{9}$, $5\frac{4}{9}$

19 $3\frac{8}{13}$, $7\frac{1}{13}$

20 $6\frac{3}{4}$, $11\frac{1}{4}$

생활 속 연산 $2\frac{2}{7}$ m

마무리 연산

1 $\frac{5}{7}$

2 $\frac{5}{8}$

3 $\frac{4}{5}$

4 $\frac{8}{9}$

5 $\frac{5}{6}$

6 $\frac{6}{7}$

7 $\frac{7}{12}$

8 $\frac{9}{11}$

9 $\frac{13}{15}$

10 $\frac{9}{10}$

11 $\frac{11}{13}$

12 $\frac{5}{12}$

13 $\frac{6}{11}$

14 $\frac{11}{20}$

15 $1\frac{2}{9}$

16 $1\frac{2}{5}$

17 $1\frac{3}{5}$

18 $1\frac{1}{4}$

19 $1\frac{1}{3}$

20 $1\frac{4}{7}$

21 $1\frac{5}{12}$

22 1

23 $1\frac{3}{13}$

24 $1\frac{2}{11}$

25 $1\frac{1}{14}$

26 $1\frac{7}{15}$

27 $1\frac{9}{20}$

28 $1\frac{9}{25}$

마무리 연산

1 $6\frac{5}{6}$

2 $4\frac{2}{3}$

3 $7\frac{3}{4}$

4 $3\frac{4}{5}$

5 $9\frac{5}{8}$

6 $6\frac{2}{7}$

7 $3\frac{7}{15}$

8 $4\frac{10}{13}$

9 $3\frac{15}{16}$

10 $6\frac{7}{10}$

11 $6\frac{11}{14}$

12 $7\frac{11}{18}$

13 $5\frac{12}{17}$

14 $1\frac{17}{20}$

15 $4\frac{1}{7}$

16 $5\frac{1}{3}$

17 $5\frac{1}{6}$

18 6

19 $6\frac{1}{4}$

20 $4\frac{4}{9}$

21 $4\frac{5}{12}$

22 $6\frac{5}{11}$

23 $5\frac{1}{13}$

24 $8\frac{9}{14}$

25 $6\frac{5}{16}$

26 $4\frac{2}{17}$

27 $7\frac{3}{19}$

28 $7\frac{1}{20}$

🎯 2단계 분수의 뺄셈

DAY 01

1. 분모가 같은 진분수의 뺄셈

1 2, 1, 1 **2** 4, 2, 2 **3** 5, 4, 1

4 4, 1, 3 **5** 7, 2, 5 **6** 7, 4, 3

7 5, 1, 4 **8** 9, 6, 3 **9** $\dfrac{2}{5}$

10 $\dfrac{2}{7}$ **11** $\dfrac{5}{8}$ **12** $\dfrac{1}{9}$

13 $\dfrac{1}{10}$ **14** $\dfrac{5}{12}$ **15** $\dfrac{2}{13}$

16 $\dfrac{3}{14}$ **17** $\dfrac{5}{17}$ **18** $\dfrac{9}{20}$

DAY 02

1. 분모가 같은 진분수의 뺄셈

1 $\dfrac{1}{5}$ **2** $\dfrac{1}{7}$ **3** $\dfrac{3}{8}$

4 $\dfrac{5}{9}$ **5** $\dfrac{7}{10}$ **6** $\dfrac{6}{11}$

7 $\dfrac{8}{13}$ **8** $\dfrac{4}{15}$ **9** $\dfrac{7}{16}$

10 $\dfrac{2}{17}$ **11** $\dfrac{7}{18}$ **12** $\dfrac{11}{19}$

13 $\dfrac{8}{21}$ **14** $\dfrac{5}{23}$ **15** $\dfrac{3}{8}$

16 $\dfrac{1}{6}$ **17** $\dfrac{5}{7}$ **18** $\dfrac{7}{10}$

19 $\dfrac{2}{11}$ **20** $\dfrac{5}{14}$ **21** $\dfrac{5}{12}$

22 $\dfrac{11}{16}$ **23** $\dfrac{7}{15}$ **24** $\dfrac{8}{25}$

DAY 03

1. 분모가 같은 진분수의 뺄셈

1 $\dfrac{1}{6}$ **2** $\dfrac{2}{9}$ **3** $\dfrac{3}{10}$

4 $\dfrac{4}{11}$ **5** $\dfrac{5}{12}$ **6** $\dfrac{9}{14}$

7 $\dfrac{4}{15}$ **8** $\dfrac{5}{16}$ **9** $\dfrac{11}{17}$

10 $\dfrac{11}{18}$ **11** $\dfrac{7}{20}$ **12** $\dfrac{5}{21}$

13 $\dfrac{8}{23}$ **14** $\dfrac{7}{24}$ **15** $\dfrac{2}{9}$ m

16 $\dfrac{3}{11}$ m **17** $\dfrac{8}{15}$ m **18** $\dfrac{13}{18}$ m

19 $\dfrac{2}{13}$ m **20** $\dfrac{12}{17}$ m **21** $\dfrac{5}{12}$ m

22 $\dfrac{8}{19}$ m **23** $\dfrac{3}{10}$ m **24** $\dfrac{9}{22}$ m

DAY 04

1. 분모가 같은 진분수의 뺄셈

1 $\dfrac{1}{4}$ **2** $\dfrac{3}{8}$ **3** $\dfrac{4}{9}$

4 $\dfrac{3}{11}$ **5** $\dfrac{5}{14}$ **6** $\dfrac{8}{15}$

7 $\dfrac{12}{17}$ **8** $\dfrac{9}{19}$ **9** $\dfrac{7}{20}$

10 $\dfrac{5}{24}$ **11** $\dfrac{11}{25}$ **12** $\dfrac{16}{27}$

13 $\dfrac{13}{30}$ **14** $\dfrac{22}{35}$ **15** $\dfrac{2}{9}$

16 $\dfrac{5}{11}$ **17** $\dfrac{7}{12}$ **18** $\dfrac{4}{15}$

19 $\dfrac{6}{17}$ **20** $\dfrac{3}{20}$ **21** $\dfrac{13}{21}$

22 $\dfrac{2}{25}$ **23** $\dfrac{9}{26}$ **24** $\dfrac{13}{27}$

25 $\dfrac{7}{30}$ **26** $\dfrac{11}{32}$

DAY 05 38~39쪽
2. 분모가 같은 대분수의 뺄셈(1)

1 1, 2, 1, 2, 1, 2 **2** 4, 4, 4, 3, 4, 3

3 1, 4, 2, 5, 2, 5 **4** 2, 4, 3, 7, 3, 7

5 $2\dfrac{3}{5}$ **6** $5\dfrac{1}{6}$ **7** $3\dfrac{5}{14}$

8 $3\dfrac{7}{12}$ **9** $3\dfrac{3}{10}$ **10** $8\dfrac{1}{7}$

11 $4\dfrac{2}{5}$ **12** $1\dfrac{2}{13}$ **13** $3\dfrac{4}{11}$

14 $2\dfrac{2}{9}$

DAY 06 40~41쪽
2. 분모가 같은 대분수의 뺄셈(1)

1 21, 11, 2, 1 **2** 32, 29, 3, 2 **3** 34, 35, 3, 2

4 26, 65, 3, 5 **5** $3\dfrac{1}{4}$ **6** $1\dfrac{3}{5}$

7 $3\dfrac{3}{7}$ **8** $8\dfrac{3}{8}$ **9** $7\dfrac{1}{9}$

10 $1\dfrac{3}{10}$ **11** $4\dfrac{1}{12}$ **12** $6\dfrac{5}{14}$

13 $2\dfrac{7}{15}$ **14** $5\dfrac{7}{16}$ **15** $6\dfrac{7}{18}$

16 $1\dfrac{6}{19}$

DAY 07 42~43쪽
2. 분모가 같은 대분수의 뺄셈(1)

1 $2\dfrac{1}{4}$ **2** $5\dfrac{1}{5}$ **3** $2\dfrac{1}{6}$

4 $3\dfrac{3}{7}$ **5** $4\dfrac{3}{8}$ **6** $2\dfrac{3}{9}$

7 $2\dfrac{7}{10}$ **8** $4\dfrac{5}{14}$ **9** $1\dfrac{7}{15}$

10 $3\dfrac{3}{16}$ **11** $1\dfrac{5}{18}$ **12** $1\dfrac{6}{19}$

13 $3\dfrac{9}{20}$ **14** $7\dfrac{3}{25}$ **15** $5\dfrac{5}{7}$

16 $4\dfrac{4}{9}$ **17** $5\dfrac{3}{10}$ **18** $3\dfrac{3}{8}$

19 $5\dfrac{1}{6}$ **20** $5\dfrac{7}{12}$ **21** $2\dfrac{2}{15}$

22 $2\dfrac{9}{20}$ **23** $6\dfrac{13}{23}$ **24** $2\dfrac{4}{25}$

DAY 08 44~45쪽
2. 분모가 같은 대분수의 뺄셈(1)

1 $5\dfrac{1}{3}$ **2** $5\dfrac{1}{5}$ **3** $7\dfrac{2}{7}$

4 $7\dfrac{1}{8}$ **5** $5\dfrac{1}{9}$ **6** $2\dfrac{1}{10}$

7 $2\dfrac{7}{12}$ **8** $7\dfrac{5}{13}$ **9** $1\dfrac{4}{15}$

10 $4\dfrac{3}{17}$ **11** $3\dfrac{11}{18}$ **12** $3\dfrac{12}{19}$

13 $1\dfrac{3}{20}$ **14** $5\dfrac{9}{25}$ **15** $3\dfrac{5}{9}, 1\dfrac{4}{9}$

16 $2\dfrac{2}{7}, \dfrac{1}{7}$ **17** $3\dfrac{5}{14}, 1\dfrac{3}{14}$ **18** $3\dfrac{1}{5}, 3\dfrac{2}{5}$

19 $1\dfrac{7}{10}, 3\dfrac{3}{10}$ **20** $2\dfrac{3}{11}, \dfrac{1}{11}$

생활 속 연산 $1\dfrac{1}{5}$ L

DAY 09

3. (자연수)ー(분수)

1 7, 4, 3　　**2** 4, 1, 2, 3

3 6, 5, 3, 1　　**4** 1, 11, 5, 1, 6

5 3, 13, 9, 3, 4　　**6** $\dfrac{1}{3}$

7 $\dfrac{5}{9}$　　**8** $4\dfrac{4}{7}$　　**9** $3\dfrac{5}{14}$

10 $2\dfrac{4}{5}$　　**11** $5\dfrac{1}{12}$　　**12** $4\dfrac{2}{9}$

13 $1\dfrac{3}{8}$　　**14** $3\dfrac{2}{11}$　　**15** $5\dfrac{1}{4}$

16 $6\dfrac{5}{9}$　　**17** $2\dfrac{2}{15}$

DAY 10

3. (자연수)ー(분수)

1 10, 7, 3　　**2** 15, 4, 11, 3, 2

3 54, 28, 26, 2, 8　　**4** 80, 43, 37, 3, 7

5 84, 49, 35, 2, 11　　**6** $1\dfrac{8}{13}$

7 $1\dfrac{1}{10}$　　**8** $1\dfrac{4}{7}$　　**9** $\dfrac{9}{14}$

10 $4\dfrac{8}{11}$　　**11** $3\dfrac{5}{9}$　　**12** $3\dfrac{7}{8}$

13 $\dfrac{3}{4}$　　**14** $5\dfrac{2}{5}$　　**15** $1\dfrac{5}{6}$

16 $4\dfrac{8}{9}$　　**17** $\dfrac{1}{2}$

DAY 11

3. (자연수)ー(분수)

1 $\dfrac{3}{4}$　　**2** $\dfrac{1}{6}$　　**3** $1\dfrac{3}{5}$

4 $\dfrac{10}{11}$　　**5** $1\dfrac{1}{3}$　　**6** $4\dfrac{5}{8}$

7 $1\dfrac{3}{7}$　　**8** $7\dfrac{7}{9}$　　**9** $2\dfrac{4}{7}$

10 $2\dfrac{3}{10}$　　**11** $1\dfrac{1}{4}$　　**12** $\dfrac{5}{8}$

13 $1\dfrac{11}{12}$　　**14** $1\dfrac{9}{13}$

15 (위에서부터) $4\dfrac{5}{13}$, $1\dfrac{8}{9}$

16 (위에서부터) $\dfrac{4}{9}$, $1\dfrac{7}{10}$

17 (위에서부터) $3\dfrac{5}{12}$, $\dfrac{3}{7}$

18 (위에서부터) $6\dfrac{1}{9}$, $5\dfrac{1}{3}$

19 (위에서부터) $\dfrac{5}{13}$, $1\dfrac{7}{8}$

20 (위에서부터) $6\dfrac{3}{5}$, $1\dfrac{8}{11}$

21 (위에서부터) $3\dfrac{2}{5}$, $2\dfrac{4}{7}$

22 (위에서부터) $6\dfrac{5}{6}$, $\dfrac{11}{14}$

3. (자연수)−(분수)

1 $3\dfrac{6}{7}$ **2** $5\dfrac{8}{11}$ **3** $8\dfrac{4}{9}$

4 $10\dfrac{3}{4}$ **5** $1\dfrac{1}{6}$ **6** $2\dfrac{9}{10}$

7 $2\dfrac{1}{3}$ **8** $2\dfrac{5}{9}$ **9** $\dfrac{5}{7}$

10 $2\dfrac{1}{6}$ **11** $3\dfrac{4}{5}$ **12** $5\dfrac{5}{9}$

13 $5\dfrac{1}{2}$ **14** $2\dfrac{2}{13}$

15

4. 분모가 같은 대분수의 뺄셈(2)

1 6, 8, 6, 3, 7, 3, 7, 3   **2** 7, 6, 7, 3, 1, 4, 1, 4

3 9, 2, 9, 7, 1, 2, 1, 2   **4** 8, 3, 8, 4, 2, 4, 2, 4

5 9, 7, 9, 6, 3, 3, 3, 3   **6** $2\dfrac{5}{6}$

7 $\dfrac{3}{4}$ **8** $6\dfrac{4}{9}$ **9** $2\dfrac{9}{13}$

10 $2\dfrac{10}{17}$ **11** $5\dfrac{3}{7}$ **12** $6\dfrac{2}{5}$

13 $3\dfrac{7}{12}$ **14** $1\dfrac{5}{9}$ **15** $1\dfrac{9}{10}$

4. 분모가 같은 대분수의 뺄셈(2)

1 21, 8, 13, 3   **2** 25, 12, 13, 6

3 46, 20, 26, 8   **4** 46, 29, 17, 7

5 69, 26, 43, 13   **6** $2\dfrac{4}{7}$

7 $3\dfrac{2}{3}$ **8** $4\dfrac{7}{10}$ **9** $3\dfrac{5}{6}$

10 $3\dfrac{4}{5}$ **11** $4\dfrac{7}{11}$ **12** $3\dfrac{5}{12}$

13 $3\dfrac{3}{8}$ **14** $6\dfrac{7}{9}$ **15** $\dfrac{7}{13}$

16 $1\dfrac{5}{7}$ **17** $2\dfrac{8}{9}$

4. 분모가 같은 대분수의 뺄셈(2)

1 $\dfrac{3}{4}$ **2** $6\dfrac{7}{8}$ **3** $4\dfrac{6}{7}$

4 $6\dfrac{2}{3}$ **5** $1\dfrac{5}{6}$ **6** $5\dfrac{4}{5}$

7 $\dfrac{9}{11}$ **8** $4\dfrac{4}{9}$ **9** $1\dfrac{5}{6}$

10 $3\dfrac{7}{10}$ **11** $2\dfrac{9}{13}$ **12** $1\dfrac{8}{15}$

13 $2\dfrac{13}{16}$ **14** $5\dfrac{14}{17}$ **15** $6\dfrac{5}{8}$

16 $2\dfrac{10}{11}$ **17** $1\dfrac{7}{9}$ **18** $2\dfrac{3}{5}$

19 $1\dfrac{11}{12}$ **20** $2\dfrac{12}{13}$ **21** $2\dfrac{4}{7}$

22 $4\dfrac{5}{6}$ **23** $1\dfrac{9}{10}$ **24** $3\dfrac{7}{10}$

DAY 16
60~61쪽

4. 분모가 같은 대분수의 뺄셈(2)

1 $5\frac{5}{8}$　**2** $4\frac{3}{5}$　**3** $2\frac{8}{13}$

4 $1\frac{5}{6}$　**5** $1\frac{7}{12}$　**6** $7\frac{7}{9}$

7 $\frac{4}{5}$　**8** $5\frac{3}{4}$　**9** $3\frac{5}{9}$

10 $3\frac{9}{11}$　**11** $5\frac{5}{14}$　**12** $\frac{13}{15}$

13 $1\frac{11}{16}$　**14** $3\frac{10}{17}$　**15** $6\frac{5}{9}$

16 $2\frac{7}{9}$　**17** $10\frac{7}{11}$　**18** $4\frac{7}{8}$

19 $5\frac{5}{6}$　**20** $1\frac{3}{5}$

생활 속 연산 $\frac{2}{13}$ L

DAY 17
62~63쪽

마무리 연산

1 $\frac{3}{5}$　**2** $\frac{2}{7}$　**3** $\frac{3}{8}$

4 $\frac{5}{9}$　**5** $\frac{7}{12}$　**6** $\frac{5}{13}$

7 $\frac{5}{14}$　**8** $\frac{8}{15}$　**9** $\frac{5}{16}$

10 $\frac{12}{17}$　**11** $\frac{4}{19}$　**12** $\frac{11}{20}$

13 $\frac{13}{23}$　**14** $\frac{8}{31}$　**15** $5\frac{1}{5}$

16 $13\frac{3}{7}$　**17** $8\frac{3}{8}$　**18** $7\frac{4}{9}$

19 $3\frac{3}{10}$　**20** $4\frac{1}{12}$　**21** $3\frac{5}{14}$

22 $5\frac{4}{15}$　**23** $5\frac{3}{17}$　**24** $2\frac{5}{18}$

25 $4\frac{9}{19}$　**26** $1\frac{3}{20}$　**27** $3\frac{13}{24}$

28 $3\frac{7}{30}$

DAY 18
64~65쪽

마무리 연산

1 $\frac{2}{5}$　**2** $\frac{3}{7}$　**3** $\frac{3}{10}$

4 $\frac{8}{13}$　**5** $1\frac{5}{6}$　**6** $9\frac{5}{8}$

7 $2\frac{5}{9}$　**8** $\frac{3}{11}$　**9** $2\frac{1}{8}$

10 $9\frac{1}{7}$　**11** $3\frac{7}{9}$　**12** $\frac{1}{7}$

13 $4\frac{2}{5}$　**14** $1\frac{1}{2}$　**15** $2\frac{3}{4}$

16 $3\frac{5}{6}$　**17** $3\frac{2}{3}$　**18** $7\frac{4}{5}$

19 $2\frac{5}{6}$　**20** $3\frac{4}{7}$　**21** $2\frac{7}{8}$

22 $4\frac{5}{9}$　**23** $7\frac{3}{10}$　**24** $6\frac{9}{11}$

25 $8\frac{7}{12}$　**26** $4\frac{6}{13}$　**27** $2\frac{13}{15}$

28 $3\frac{10}{17}$

DAY 01

1. 소수 두 자리 수

1	0.04 / 영 점 영사	**2**	0.08 / 영 점 영팔
3	0.15 / 영 점 일오	**4**	0.63 / 영 점 육삼
5	0.52 / 영 점 오이	**6**	2.27 / 이 점 이칠
7	3.06 / 삼 점 영육	**8**	7.02 / 칠 점 영이
9	0.08	**10**	0.06
11	0.02	**12**	0.48
13	0.64	**14**	2.09
15	4.36	**16**	5.14
17	6.37	**18**	9.72
19	5.05	**20**	7.23

DAY 02

1. 소수 두 자리 수

1	0.03	**2**	0.09
3	0.49	**4**	0.64
5	0.75	**6**	0.84
7	1.91	**8**	1.05
9	5.24	**10**	7.82
11	5, 7, 4	**12**	3, 6, 8
13	6, 3, 7	**14**	1, 4, 9
15	4, 1, 6	**16**	8, 9, 1
17	7, 5, 3	**18**	9, 8, 2
19	2, 5, 4	**20**	6, 1, 5

DAY 03

1. 소수 두 자리 수

1	1.96	**2**	6.74
3	4.82	**4**	2.08
5	7.14	**6**	8.34
7	9.42	**8**	3.17
9	5.35	**10**	6.87
11	7.04	**12**	1.15
13	2 / 7	**14**	8 / 1
15	5 / 4	**16**	7 / 1
17	9 / 0	**18**	4 / 3
19	5 / 0	**20**	4 / 1

DAY 04

1. 소수 두 자리 수

1	0.05	**2**	3
3	0.07	**4**	0.02
5	4	**6**	0.8
7	0.01	**8**	0.5
9	6	**10**	0.02
11	0.6	**12**	30
13	0.85에 ○표	**14**	5.09에 ○표
15	5.41에 ○표	**16**	0.63에 ○표
17	0.28에 ○표	**18**	7.08에 ○표
19	9.06에 ○표	**20**	6.41에 ○표
21	8.03에 ○표	**22**	2.45에 ○표

DAY 05 76~77쪽

2. 소수 세 자리 수

1 0.002 / 영 점 영영이 **2** 0.005 / 영 점 영영오

3 0.013 / 영 점 영일삼 **4** 0.078 / 영 점 영칠팔

5 0.249 / 영 점 이사구 **6** 4.009 / 사 점 영영구

7 6.035 / 육 점 영삼오 **8** 3.107 / 삼 점 일영칠

9 0.001 **10** 0.004

11 0.023 **12** 0.052

13 1.009 **14** 4.006

15 7.048 **16** 5.709

17 2.097 **18** 5.204

19 8.475 **20** 11.291

DAY 06 78~79쪽

2. 소수 세 자리 수

1 0.002 **2** 0.007

3 0.036 **4** 0.082

5 0.605 **6** 0.195

7 1.843 **8** 3.171

9 6.054 **10** 6.408

11 3, 1, 9, 4 **12** 5, 3, 7, 6

13 9, 6, 1, 7 **14** 2, 0, 6, 3

15 6, 7, 9, 2 **16** 8, 7, 9, 2

17 4, 1, 5, 6 **18** 9, 2, 7, 4

DAY 07 80~81쪽

2. 소수 세 자리 수

1 1.968 **2** 2.845

3 4.654 **4** 6.941

5 3.076 **6** 9.173

7 4.503 **8** 0 / 5

9 8 / 5 **10** 7 / 3

11 3 / 6 **12** 0 / 4

13 4 / 2 **14** 0 / 3

15 1 / 9

DAY 08 82~83쪽

2. 소수 세 자리 수

1 0.09 **2** 0.006

3 0.4 **4** 20

5 0.02 **6** 0.3

7 0.03 **8** 0.004

9 0.5 **10** 5

11 0.006 **12** 0.01

13 2.126에 ○표 **14** 1.234에 ○표

15 2.548에 ○표 **16** 2.648에 ○표

17 5.014에 ○표 **18** 0.194에 ○표

19 6.807에 ○표 **20** 7.608에 ○표

생활 속 연산 0.09

3. 소수의 크기 비교

1 <	2 >	3 <	4 =
5 <	6 >	7 =	8 <
9 <	10 <		

11
2.1　2.10
21.0　0.21

12
1.06　160.0
10.6　1.060

13
4.71　4.701
47.10　47.1

14
5.8　0.580
0.58　5.08

15
9.047　9.470
9.47　94.70

16
17.20　17.2
10.72　1.720

17
5.67　50.67
5.067　5.0670

18
24.290　2.420
2.429　24.29

19
37.2　3.72
3.720　0.372

20
2.8　2.08
0.28　0.280

3. 소수의 크기 비교

1 <	2 >	3 =	4 <
5 <	6 >	7 >	8 <
9 <	10 <	11 >	12 =
13 >	14 <		

15 2.562에 ○표　**16** 3.783에 ○표

17 0.59에 ○표　**18** 8.91에 ○표

19 7.73에 ○표　**20** 2.383에 ○표

21 10.64에 ○표　**22** 9.68에 ○표

23 4.279에 ○표　**24** 61.8에 ○표

3. 소수의 크기 비교

1 <	2 <	3 <	4 >
5 >	6 >	7 <	8 =
9 <	10 <	11 =	12 <
13 <	14 <		

15 2, 3, 1　**16** 1, 3, 2

17 2, 1, 3　**18** 1, 2, 3

19 3, 2, 1　**20** 2, 3, 1

21 3, 1, 2　**22** 1, 3, 2

23 1, 2, 3　**24** 2, 3, 1

4. 소수 사이의 관계

1 0.5, 5

2 473.9, 4739

3 63.04, 630.4

4 1059.8, 10598

5 113.05, 11305

6 2.3, 23　**7** 4.8, 48

8 50.6, 506　**9** 74.9, 749

10 134.1, 1341　**11** 204.6, 2046

12 8.73, 87.3　**13** 4.95, 49.5

14 34.05, 340.5　**15** 19.48, 194.8

DAY 13

4. 소수 사이의 관계

1 0.8, 0.08

2 0.25, 0.025

3 36.9, 3.69

4 97.5, 0.975

5 184.5, 18.45, 1.845

6 0.07, 0.007   **7** 0.8, 0.08

8 0.43, 0.043   **9** 0.67, 0.067

10 2, 0.2   **11** 5.7, 0.57

12 1.96, 0.196   **13** 75, 7.5

14 20.4, 2.04   **15** 31.29, 3.129

DAY 14

4. 소수 사이의 관계

1 173   **2** 0.52

3 30.5   **4** 0.037

5 5.4   **6** 0.09

7 49.3   **8** 0.018

9 94   **10** 0.006

11 310   **12** 0.82

13 0.324의 100배에 색칠

14 294의 $\frac{1}{100}$에 색칠

15 70의 $\frac{1}{10}$에 색칠

16 0.5081의 100배에 색칠

생활 속 연산 1.25 L

DAY 15

마무리 연산

1 0.38   **2** 0.423

3 0.96   **4** 2.077

5 1.53   **6** 3.258

7 4.71   **8** 4.608

9 5.24   **10** 5.802

11 90.47   **12** 7.625

13 10.23   **14** 8.963

15 0.8   **16** 0.01

17 0.6   **18** 6

19 0.01   **20** 0.003

21 0.04   **22** 0.6

23 7   **24** 0.002

DAY 16

마무리 연산

1 >   **2** <   **3** >   **4** <

5 <   **6** <   **7** >   **8** <

9 >   **10** =   **11** >   **12** <

13 >   **14** >

15 5370   **16** 0.07

17 4.78   **18** 0.036

19 962   **20** 0.123

21 267.4   **22** 3.68

23 34.9   **24** 0.096

🎯 4단계 소수의 덧셈

DAY 01
102~103쪽

1. (소수 한 자리 수)+(소수 한 자리 수)

1	0.6	2	0.9	3	0.6
4	0.5	5	1.3	6	1.2
7	1.6	8	1.3	9	1.7

10	0.9	11	0.7
12	0.5	13	0.8
14	1.1	15	1.4
16	1	17	1.2
18	1.8	19	1.4

DAY 02
104~105쪽

1. (소수 한 자리 수)+(소수 한 자리 수)

1	0.7	2	0.5
3	0.4	4	0.9
5	1.4	6	1.3
7	1.5	8	1.2
9	1.1	10	1.7
11	1.6	12	1.3
13	1.8	14	1.4
15	1.2	16	1.4
17	1	18	1.2
19	1.1	20	1.1
21	1.3	22	1.6
23	1.2	24	1.5

DAY 03
106~107쪽

1. (소수 한 자리 수)+(소수 한 자리 수)

1	2.4	2	3.6	3	5.8
4	5.7	5	6.1	6	8.2
7	7.1	8	7.3	9	6.5

10	4.9	11	8.8
12	7.6	13	8.4
14	8.1	15	6.3
16	3.2	17	9.4
18	7.5	19	8.1

DAY 04
108~109쪽

1. (소수 한 자리 수)+(소수 한 자리 수)

1	2.8	2	2.5
3	9.6	4	6.9
5	14.4	6	12.3
7	11.3	8	10.4
9	12.1	10	14.1
11	15.3	12	20.8
13	29.3	14	19.3
15	13.5	16	8.7
17	11.7	18	5.9
19	9.4	20	8.5
21	10.5	22	16
23	21.1	24	19.2

DAY 05 ▶   110~111쪽

1. (소수 한 자리 수)+(소수 한 자리 수)

1 0.6		**2** 0.8	
3 1.5		**4** 1	
5 1.1		**6** 1.4	
7 8.5		**8** 3.9	
9 3.9		**10** 5.8	
11 10.1		**12** 12.7	
13 14.4		**14** 14.3	

15 0.6+0.1에 ○표 **16** 0.3+0.9에 ○표

17 7.6+3.9에 ○표 **18** 5.8+9.8에 ○표

19 1.4+5.5에 ○표 **20** 7.9+5.6에 ○표

21 4.8+5.2에 ○표 **22** 5.6+4.9에 ○표

23 13.9+2.3에 ○표 **24** 12.5+11.7에 ○표

DAY 07 ▶   114~115쪽

2. (소수 두 자리 수)+(소수 두 자리 수)

1 1.82	**2** 1.53
3 0.61	**4** 1.25
5 1.33	**6** 1.11
7 1.43	**8** 1.5
9 1.02	**10** 1.31
11 1.53	**12** 1.7
13 1.24	**14** 1.27
15 1.23	**16** 0.41
17 1.86	**18** 0.74
19 0.5	**20** 1.21
21 1.69	**22** 1.1
23 0.67	**24** 1.01

DAY 06 ▶   112~113쪽

2. (소수 두 자리 수)+(소수 두 자리 수)

1 0.77	**2** 0.95	**3** 0.98
4 0.78	**5** 0.81	**6** 0.61
7 1.29	**8** 1.01	**9** 1.31
10 0.18	**11** 0.76	
12 0.96	**13** 0.79	
14 1.09	**15** 0.83	
16 1.39	**17** 1.06	
18 0.95	**19** 1.17	

DAY 08 ▶   116~117쪽

2. (소수 두 자리 수)+(소수 두 자리 수)

1 8.33	**2** 8.11	**3** 15.53
4 14.43	**5** 12.1	**6** 11.24
7 10.02	**8** 12.31	**9** 10.53
10 8.94	**11** 3.28	
12 9.05	**13** 3.63	
14 12.57	**15** 4.5	
16 9.83	**17** 8.16	
18 5.07	**19** 5.73	

2. (소수 두 자리 수)+(소수 두 자리 수)

1 0.69		**2** 1.26	
3 2.6		**4** 7.34	
5 4.71		**6** 6.12	
7 8.21		**8** 5.49	
9 9.03		**10** 12.09	
11 10.22		**12** 12.5	
13 12.74		**14** 14.19	
15 6.71		**16** 5	
17 11.71		**18** 15.29	
19 4.21		**20** 5.44	
21 10.6		**22** 14.05	
23 4.21		**24** 12.85	

2. (소수 두 자리 수)+(소수 두 자리 수)

1 7.36	**2** 5.42
3 4.98	**4** 9.7
5 9.31	**6** 8.81
7 12.12	**8** 7.33
9 12.45	**10** 7.79
11 12.42	**12** 11.05
13 13.62	**14** 15.56
15 3.94 m	**16** 10.18 m
17 4.5 m	**18** 6.99 m
19 2.87 m	**20** 8.76 m
21 6.03 m	**22** 3.83 m

3. 자릿수가 다른 소수의 덧셈

1 0.55	**2** 1.08	**3** 9.84
4 3.43	**5** 7.79	**6** 11.37
7 10.24	**8** 5.36	**9** 6.47
10 4.16	**11** 6.67	
12 8.03	**13** 12.02	
14 11.48	**15** 12.74	
16 9.39	**17** 11.84	

3. 자릿수가 다른 소수의 덧셈

1 0.93	**2** 3.23	**3** 1.64
4 8.12	**5** 9.68	**6** 9.36
7 12.65	**8** 12.14	**9** 14.13
10 8.64	**11** 8.32	
12 14.83	**13** 11.44	
14 11.38	**15** 13.05	
16 7.86	**17** 6.17	
18 10.03	**19** 27.44	
20 20.02	**21** 18.28	

DAY 13
3. 자릿수가 다른 소수의 덧셈

1 2.3		**2** 6.5		**3** 11.7	
4 5.97		**5** 4.28		**6** 9.49	
7 14.58		**8** 11.76		**9** 15.04	
10 6.5			**11** 13.73		
12 3.7			**13** 8.91		
14 8.6			**15** 16.44		
16 10.9			**17** 13.23		
18 6.9			**19** 9.49		

DAY 14
3. 자릿수가 다른 소수의 덧셈

1 8.39		**2** 13.96
3 12.05		**4** 22.24
5 3.34		**6** 9.36
7 16.03		**8** 5.17
9 11.7		**10** 13.63
11 12.3		**12** 13.62
13 15.8		**14** 18.16
15 14.49		**16** 10.25
17 12.81		**18** 9.96
19 11.1		**20** 19.25
21 11.3		**22** 4.95
23 8.7		**24** 6.77

DAY 15
3. 자릿수가 다른 소수의 덧셈

1 6.74		**2** 5.42
3 4.34		**4** 9.53
5 13.69		**6** 12.58
7 10.32		**8** 12.45
9 13.3		**10** 10.81
11 12.7		**12** 14.68
13 9.2		**14** 19.76
15 10.3, 18.04		**16** 8.14, 17.14
17 12.09, 20.69		**18** 5.54, 14.44
19 12.24, 15.24		**20** 13.12, 19.02

생활 속 연산 150.02점

DAY 16
마무리 연산

1 1.2	**2** 9.3	**3** 8.3
4 11.8	**5** 15.6	**6** 9.2
7 2.95	**8** 17.04	**9** 13.79
10 7.11	**11** 8.61	**12** 11.02
13 12.57	**14** 12.33	**15** 15.38
16 6		**17** 6.6
18 9.5		**19** 6.1
20 16.6		**21** 8.3
22 0.84		**23** 8.08
24 8.66		**25** 8.26
26 7.07		**27** 15.62
28 13.32		**29** 12.51

마무리 연산

1 7.72	**2** 9.72	**3** 12.04
4 4.98	**5** 10.94	**6** 11.25
7 11.51	**8** 10.44	**9** 16.17
10 17.01	**11** 10.43	**12** 14.07
13 7.58	**14** 12.5	**15** 8.77

16 13.56	**17** 9.52
18 10.78	**19** 9.19
20 8.16	**21** 8.65
22 7.25	**23** 3.33
24 11.5	**25** 12.64
26 13.3	**27** 9.52
28 13.6	**29** 17.57

🎯 5단계　소수의 뺄셈

1. (소수 한 자리 수)-(소수 한 자리 수)

1 0.5	**2** 0.3	**3** 0.4
4 0.9	**5** 0.6	**6** 0.6
7 0.8	**8** 0.9	**9** 0.5

10 0.2	**11** 0.4
12 0.3	**13** 0.5
14 0.5	**15** 0.9
16 0.9	**17** 0.7
18 0.7	**19** 0.8

1. (소수 한 자리 수)-(소수 한 자리 수)

1 0.7	**2** 0.3
3 0.3	**4** 0.4
5 0.3	**6** 0.5
7 0.7	**8** 0.9
9 0.9	**10** 0.7
11 0.7	**12** 0.9
13 0.8	**14** 0.8
15 0.2	**16** 0.6
17 0.2	**18** 0.4
19 0.4	**20** 0.7
21 0.2	**22** 0.9
23 0.5	**24** 0.3
25 0.6	**26** 0.7

DAY 03 142~143쪽

1. (소수 한 자리 수)-(소수 한 자리 수)

1 1.2		**2** 2.7		**3** 2.2	
4 6.6		**5** 3.6		**6** 4.4	
7 3.9		**8** 2.5		**9** 4.4	

10 4.2, 1.7   **11** 4.4, 5.8

12 4.1, 5.9   **13** 4, 5.7

14 2.1, 7.7   **15** 7.3, 2.8

16 3.2, 0.9   **17** 3.5, 4.9

18 2, 3.4   **19** 2.1, 2.4

DAY 04 144~145쪽

1. (소수 한 자리 수)-(소수 한 자리 수)

1 2.3   **2** 2.1

3 4.6   **4** 4.7

5 2.5   **6** 0.7

7 5.8   **8** 3.9

9 1.4   **10** 1.4

11 3.8   **12** 5.6

13 3.5   **14** 1.8

15   **16**

17   **18**

19   **20**

21   **22**

DAY 05 146~147쪽

1. (소수 한 자리 수)-(소수 한 자리 수)

1 3.5   **2** 4.4

3 5.6   **4** 5.5

5 0.5   **6** 3.6

7 2.9   **8** 1.7

9 3.8   **10** 3.6

11 3.5   **12** 1.6

13 0.6   **14** 5.7

15 3.8 kg   **16** 1.6 kg

17 4.2 kg   **18** 1.5 kg

19 3.7 kg   **20** 4.7 kg

생활 속 연산 3.7 kg

DAY 06 148~149쪽

2. (소수 두 자리 수)-(소수 두 자리 수)

1 0.56		**2** 0.22		**3** 0.31	
4 0.14		**5** 0.19		**6** 0.28	
7 0.63		**8** 0.93		**9** 0.93	

10 0.21   **11** 0.41

12 0.44   **13** 0.4

14 0.25   **15** 0.84

16 0.54   **17** 0.97

18 0.93   **19** 0.78

2. (소수 두 자리 수)−(소수 두 자리 수)

1 0.28		**2** 0.64	
3 0.15		**4** 0.23	
5 0.09		**6** 0.45	
7 0.74		**8** 0.87	
9 0.91		**10** 0.82	
11 0.71		**12** 0.85	
13 0.36		**14** 0.71	
15 0.14		**16** 0.51	
17 0.43		**18** 0.35	
19 0.83		**20** 0.8	
21 0.81		**22** 0.76	
23 0.57		**24** 0.85	
25 0.73		**26** 0.7	

2. (소수 두 자리 수)−(소수 두 자리 수)

1 5.37	**2** 0.72	**3** 4.88
4 4.74	**5** 3.38	**6** 1.89
7 1.65	**8** 3.49	**9** 2.96

10 3.67, 4.17	**11** 1.65, 1.74
12 2.87, 4.83	**13** 1.76, 8.09
14 3.76, 4.64	**15** 1.58, 3.94
16 6.56, 7.7	**17** 4.28, 5.4

2. (소수 두 자리 수)−(소수 두 자리 수)

1 2.53		**2** 1.61	
3 1.15		**4** 2.87	
5 5.07		**6** 3.32	
7 1.89		**8** 4.66	
9 6.8		**10** 1.43	
11 3.34		**12** 3.48	
13 6.95		**14** 1.41	

15 **16** **17** **18** **19** **20** **21** **22**

DAY 10

2. (소수 두 자리 수)−(소수 두 자리 수)

1 4.12		**2** 5.64	
3 4.58		**4** 5.12	
5 6.85		**6** 2.84	
7 1.16		**8** 1.93	
9 1.57		**10** 3.68	
11 0.28		**12** 3.63	
13 0.98		**14** 3.27	

15 (○)(   )   **16** (○)(   )

17 (   )(○)   **18** (○)(   )

19 (○)(   )   **20** (   )(○)

21 (   )(○)   **22** (○)(   )

DAY 11

3. 자릿수가 다른 소수의 뺄셈

1 0.33	**2** 2.14	**3** 1.39
4 5.57	**5** 0.62	**6** 3.41
7 1.05	**8** 2.88	**9** 1.86
10 0.79		**11** 2.28
12 4.32		**13** 4.53
14 6.76		**15** 1.21
16 0.45		**17** 0.97

DAY 12

3. 자릿수가 다른 소수의 뺄셈

1 0.61	**2** 5.36	**3** 1.14
4 5.58	**5** 5.67	**6** 1.02
7 0.59	**8** 3.43	**9** 2.05
10 3.32		**11** 1.66
12 5.37		**13** 1.65
14 1.54		**15** 4.33
16 1.81		**17** 6.18
18 1.99		**19** 1.47
20 0.86		**21** 5.02

DAY 13

3. 자릿수가 다른 소수의 뺄셈

1 0.5	**2** 0.7	**3** 1.6
4 6.1	**5** 2.52	**6** 4.43
7 2.17	**8** 2.08	**9** 2.42
10 1.6		**11** 4.46
12 0.2		**13** 1.85
14 6.3		**15** 1.29
16 2.4		**17** 4.63
18 9.5		**19** 7.29
20 7.4		**21** 5.63

3. 자릿수가 다른 소수의 뺄셈

1	3.54	**2**	1.35
3	2.13	**4**	8.17
5	2.65	**6**	2.41
7	5.76	**8**	0.62
9	3.9	**10**	3.18
11	4.1	**12**	4.07
13	8.4	**14**	2.34
15	1.64	**16**	3.63
17	6.71	**18**	4.03
19	4.23	**20**	9.82
21	3.2	**22**	3.25
23	11.1	**24**	1.12

15

3. 자릿수가 다른 소수의 뺄셈

1	2.53	**2**	0.56
3	3.82	**4**	5.54
5	1.94	**6**	2.49
7	1.86	**8**	12.87
9	0.8	**10**	1.23
11	2.7	**12**	5.96
13	5.4	**14**	4.08

3. 자릿수가 다른 소수의 뺄셈

1	1.69	**2**	1.43
3	5.54	**4**	5.61
5	3.72	**6**	3.28
7	4.58	**8**	7.16
9	3.6	**10**	3.92
11	2.2	**12**	7.41
13	6.7	**14**	4.85
15	1.3, 0.76	**16**	3.71, 0.91
17	3.4, 1.47	**18**	6.33, 2.13
19	6.2, 3.03	**20**	8.89, 2.99

생활 속 연산   5.6 km

DAY 17 ▶ 170~171쪽
마무리 연산

1 0.7	**2** 0.5	**3** 3.2
4 0.3	**5** 6.2	**6** 4.9
7 0.18	**8** 0.65	**9** 3.99
10 1.26	**11** 5.22	**12** 1.57
13 2.95	**14** 1.08	**15** 6.68
16 5.2	**17** 3.8	
18 2.5	**19** 1.9	
20 3.2	**21** 0.9	
22 0.69	**23** 2.06	
24 3.51	**25** 2.99	
26 0.86	**27** 2.21	
28 1.15	**29** 1.6	

DAY 18 ▶ 172~173쪽
마무리 연산

1 1.43	**2** 1.82	**3** 4.14
4 3.27	**5** 4.33	**6** 1.96
7 3.7	**8** 3.4	**9** 5.5
10 3.51	**11** 1.26	**12** 4.61
13 2.52	**14** 4.47	**15** 6.04
16 0.78	**17** 1.25	
18 4.56	**19** 7.46	
20 0.74	**21** 1.33	
22 5.73	**23** 7.36	
24 5.4	**25** 2.81	
26 8.18	**27** 4.58	
28 12.6	**29** 4.45	

MEMO

힘이 붙는
수학
연산

초등 4B

힘이
붙는
수학
연산

 힘이 붙는 **수학** 연산